2021年版

ハン検

過去問題集

初級

級4

5

級

「ハングル」能力検定試験

JN117912

まえがき

　「ハングル」能力検定試験は日本で初めての韓国・朝鮮語検定試験として、1993年の第1回実施から今日まで54回実施され、延べ出願者数は45万人を超えました。これもひとえに皆さまの暖かいご支持ご協力の賜物と深く感謝しております。

　ハングル能力検定協会は、日本で「ハングル」*1)を普及し、日本語ネイティブの「ハングル」学習到達度に公平・公正な社会的評価を与え、南北のハングル表記の統一に貢献するという3つの理念で検定試験を実施して参りました。

　2020年は、新型コロナウイルス感染症の世界的大流行という未曾有の事態により春季試験が中止に追い込まれ、秋季試験のみの実施となりました。秋季第54回検定試験は全国75ヶ所の会場と、一部地域の4、5級のみをIBT試験に振り替えて実施し、出願者数は合計13,772名となりました。厳しい状況下でもこれだけの受験者の方がいらっしゃったこと、感染症対策を行いつつの実施は、私たちに多くの物を教えてくれました。

　本書は「2021年版ハン検*2)過去問題集」として、2020年秋季第54回検定試験の問題を1、2級の上級、準2級、3級の中級、4、5級の初級の3冊にまとめたものです。それぞれに問題(聞きとりはCD)と解答、日本語訳と詳しいワンポイントアドバイスをつけました。

　これからも日本語ネイティブのための唯一の試験である「ハン検」を、入門・初級の方から地域及び全国通訳案内士などの資格取得を目指す上級の方まで、より豊かな人生へのパスポートとして、幅広くご活用ください。

　最後に、本検定試験実施のためにご協力くださった、すべての方々に心から感謝の意を表します。

2021年3月吉日

特定非営利活動法人
ハングル能力検定協会

*1)当協会は「韓国・朝鮮語」を統括する意味で「ハングル」を用いておりますが、協会名は固有名詞のため、「」は用いず、ハングル能力検定協会とします。
*2)「ハン検」は「ハングル」能力検定試験の略称です。

目　　次

5級

■レベルの目安

　60分授業を40回受講した程度。韓国・朝鮮語を習い始めた初歩の段階で、基礎的な韓国・朝鮮語をある程度理解し、それらを用いて表現できる。

・ハングルの母音(字)と子音(字)を正確に区別できる。
・約480語の単語や限られた文型からなる文を理解することができる。
・決まり文句としてのあいさつ・あいづちや簡単な質問ができ、またそのような質問に答えることができる。
・自分自身や家族の名前、特徴や好き嫌いなどの私的な話題、日課や予定、食べ物などの身近なことについて伝え合うことができる。

■合格ライン

●100点満点(聞取40点 筆記60点)中、60点以上合格。
※5、4級は合格点(60点)に達していても、聞きとり試験を受けていないと不合格になります。

◎記号について
　[　]：発音の表記であることを示す。
　〈 　〉：漢字語の漢字表記(日本漢字に依る)であることを示す。
　(　)：当該部分が省略可能であるか、前後に( )内のような単語などが続くことを示す。
　【 　】：品詞情報など、何らかの補足説明が必要であると判断された箇所に用いる。
　「 　」：**Point** 中の日本語訳であることを示す。
　　★：大韓民国と朝鮮民主主義人民共和国とでの、正書法における表記の違いを示す(南★北)。

◎「、」と「；」の使い分けについて
　1つの単語の意味が多岐にわたる場合、関連の深い意味同士を「、」で区切り、それとは異なる別の意味で捉えた方が分かりやすいものは「；」で区切って示した。また、同音異義語の訳についても、「：」で区切っている。

◎／ならびに 〔／〕について
　／は言い替え可能であることを示す。用言語尾の意味を考える上で、動詞や形容詞など品詞ごとに日本語訳が変わる場合は、例えば、「～ ¦する／である¦ が」のように示している。これは、「～するが」、「～であるが」という意味である。

5級

聞きとり 20問/30分
筆　　記 40問/60分

2020年 第54回
「ハングル」能力検定試験

【試験前の注意事項】

1） 監督の指示があるまで、問題冊子を開いてはいけません。
2） 聞きとり試験中に筆記試験の問題部分を見ることは不正行為となるので、充分ご注意ください。
3） この問題冊子は試験終了後に持ち帰ってください。
　　マークシートを教室外に持ち出した場合、試験は無効となります。
※CD3などの番号はCDのトラックナンバーです。

【マークシート記入時の注意事項】

1） マークシートへの記入は「記入例」を参照し、ＨＢ以上の黒鉛筆またはシャープペンシルではっ
　　きりとマークしてください。ボールペンやサインペンは使用できません。
　　訂正する場合、消しゴムで丁寧に消してください。
2） 氏名、受験地、受験地コード、受験番号、生まれ月日は、もれのないよう正しくマークし、記入
　　してください。
3） マークシートにメモをしてはいけません。メモをする場合は、この問題冊子にしてください。
4） マークシートを汚したり、折り曲げたりしないでください。

※試験の解答速報は、試験終了後、協会公式ＨＰにて公開します。
※試験結果や採点について、お電話でのお問い合わせにはお答えできません。
※この問題冊子の無断複写・ネット上への転載を禁じます。

「ハングル」能力検定試験

個人情報欄 ※必ずご記入ください

受 験 級	受験地コード	受験番号	生まれ月日

2 級 ･･･ ○
準2級 ･･･ ○
3 級 ･･･ ○
4 級 ･･･ ○
5 級 ･･･ ○

氏 名
受験地 見 本

（記入心得）
1．HB以上の黒鉛筆またはシャープ
　ペンシルを使用してください。
　（ボールペン・マジックは使用不可）
2．訂正するときは、消しゴムで完全に
　消してください。
3．枠からはみ出さないように、ていねい
　に塗りつぶしてください。

（記入例）解答が「1」の場合

良い例
悪い例　レ点　線　バッテン　点　うすい

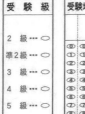

聞きとり

	1	2	3	4
1				
2				
3				
4				
5				
6				
7				
8				
9				
10				
11				
12				
13				
14				
15				
16				
17				
18				
19				
20				

筆　記

41問～50問は2級のみ解答

	1	2	3	4
1				
2				
3				
... (1〜50)				
50				

K12S16T 110kg

ハングル能力検定協会

問　題

聞きとり問題

CD2

1 選択肢を２回ずつ読みます。絵の内容に合うものを①〜④
の中から１つ選んでください。解答はマークシートの１番
〜３番にマークしてください。
（空欄はメモをする場合にお使いください）　　〈2点×3問〉

CD3

1）

1

①_____

②_____

③_____

④_____

CD 4

2)

2

①_____

②_____

③_____

④_____

CD 5

3)

3

①_____

②_____

③_____

④_____

問　題

CD 6

2 短い文を2回読みます。（　　　）の中に入れるのに適切な
ものを①〜④の中から1つ選んでください。解答はマーク
シートの4番〜7番にマークしてください。
（空欄はメモをする場合にお使いください）　　〈2点×4問〉

CD 7

1）우리 집은 아파트（　　　）층에 있어요.　　　　　　4

　　① 14　　　　② 15　　　　③ 16　　　　④ 17

CD 8

2）그 드라마는（　　　）시부터 시작해요.　　　　　　5

　　① 7　　　　② 8　　　　③ 11　　　　④ 12

CD 9

3）한국어 교과서는（　　　）엔입니다.　　　　　　　6

　　① 800　　　② 900　　　③ 1,000　　　④ 2,000

CD10

4) 동생은 (   )에 한국에 갑니다.   7

① 9 월 10일   ② 6 월 20일   ③ 9 월 23일   ④ 6 월 30일

問　題

CD11

3 問いかけなどの文を2回読みます。その応答文として最も
適切なものを①〜④の中から1つ選んでください。解答は
マークシートの8番〜11番にマークしてください。
（空欄はメモをする場合にお使いください）　　〈2点×4問〉

CD12

1）-- 　8

① 미안해요.
② 빨리 오세요.
③ 택시로 왔어요.
④ 친구가 왔어요.

CD13

2）-- 　9

① 네, 스무 살입니다.
② 모레입니다.
③ 네, 멉니다.
④ 둘째 아들입니다.

CD14

3) -- 10

① 감사합니다. 잘 쓰겠습니다.

② 저는 한글로 쓰겠습니다.

③ 네, 축하합니다.

④ 저는 뉴스를 싫어해요.

CD15

4) -- 11

① 네, 맞습니다. 그런데 누구시지요?

② 아뇨, 호텔은 우리 집 옆에 있어요.

③ 아니에요. 제가 김민숙이에요.

④ 저는 김민숙 씨를 잘 알아요.

問　題

CD16

 ①〜④の選択肢を2回ずつ読みます。応答文として最も適切なものを1つ選んでください。解答はマークシートの12番〜15番にマークしてください。

（空欄はメモをする場合にお使いください）　　〈2点×4問〉

CD17

1）男：왜 약을 먹어요?
　　女：（　　12　　）

　　　①_____
　　　②_____
　　　③_____
　　　④_____

CD18

2）男：손님, 어디까지 가세요?
　　女：（　　13　　）

　　　①_____
　　　②_____
　　　③_____
　　　④_____

CD19

3) 女 : 수업이 몇 시부터예요?

　　男 : (　14　)

　　①_____

　　②_____

　　③_____

　　④_____

CD20

4) 女 : 이 빵 맛있죠?

　　男 : (　15　)

　　①_____

　　②_____

　　③_____

　　④_____

問　題

(CD21)

5 対話文を2回読みます。その内容と一致するものを①〜④
の中から1つ選んでください。解答はマークシートの16番
〜20番にマークしてください。

（空欄はメモをする場合にお使いください）　　〈2点×5問〉

(CD22)

1) 男 : _____

　　女 : _____　　16

　　① 男性はひとみと初めて会いました。

　　② 男性はひとみと久しぶりに会いました。

　　③ 3人とも自己紹介しています。

　　④ 3人は毎日一緒に働いています。

(CD23)

2) 男 : _____

　　女 : _____　　17

　　① 女性は付き合っている人がいません。

　　② 女性はまだ結婚していません。

　　③ 男性は女性にプロポーズしています。

　　④ 二人は結婚式の計画を立てています。

CD24

3) 男：_____

   女：_____　　18

① 女性は韓国旅行をしたがっています。

② 二人は一緒に韓国語の勉強を始めました。

③ 女性は昨年から韓国語を勉強しています。

④ 女性は今年から韓国語の勉強を始めました。

CD25

4) 男：_____

   女：_____

   _____

   男：_____　　19

① キム先生は今日学校に来ていません。

② 男性は明日もキム先生に会いに来るつもりです。

③ 男性は3時頃、同じ場所にまた来るつもりです。

④ キム先生の授業は3時に始まります。

問　題

CD26

5）女：--

　　男：--

　　女：--　　20

　① 二人は学校の前で話しています。

　② 女性は家にいます。

　③ 二人は教室にいます。

　④ 二人は待ち合わせをしています。

筆記問題

1 発音どおり表記したものを①～④の中から1つ選びなさい。
(マークシートの1番～3番を使いなさい)　〈1点×3問〉

1) 음악입니다

1

　① [으마긴니다]　　② [음마깅니다]
　③ [으마김니다]　　④ [음마김니다]

2) 학교

2

　① [하쿄]　② [항교]　③ [학쿄]　④ [학꾜]

3) 싫어요

3

　① [실러요]　② [시러요]　③ [시어요]　④ [시허요]

2 次の日本語に当たる単語を正しく表記したものを①〜④の中から1つ選びなさい。

（マークシートの4番〜7番を使いなさい）　〈1点×4問〉

1）豚　　　　　　　　　　　　　　　　　　　　4

　　① 되찌　　　② 되치　　　③ 돼지　　　④ 돼찌

2）問題　　　　　　　　　　　　　　　　　　　5

　　① 뭉제　　　② 믄제　　　③ 문제　　　④ 몽제

3）遅い　　　　　　　　　　　　　　　　　　　6

　　① 늑다　　　② 늣다　　　③ 늡다　　　④ 늦다

4）易しい　　　　　　　　　　　　　　　　　　7

　　① 쉽다　　　② 십다　　　③ 쉿다　　　④ 싣다

3 次の日本語に当たるものを①～④の中から1つ選びなさい。
（マークシートの8番～12番を使いなさい）　〈1点×5問〉

1）道　　　　　　　　　　　　　　　　　　8

　　① 달　　　② 길　　　③ 여름　　　④ 딸

2）家族　　　　　　　　　　　　　　　　9

　　① 신문　　② 감기　　③ 양말　　④ 가족

3）送る　　　　　　　　　　　　　　　　10

　　① 보내다　② 지나다　③ 가지다　④ 일어나다

4）すぐ　　　　　　　　　　　　　　　　11

　　① 끝　　　② 곧　　　③ 또　　　④ 왜

5）暑い　　　　　　　　　　　　　　　　12

　　① 차다　　② 춥다　　③ 덥다　　④ 비싸다

4 （　　　）の中に入れるのに最も適切なものを①〜④の中から1つ選びなさい。

（マークシートの13番〜17番を使いなさい）　〈2点×5問〉

1）이 가게는 （　13　）가 싸요.

①　귀　　　②　나이　　　③　코　　　④　닭고기

2）（　14　）를 타고 한국에 갑니다.

①　시계　　②　비행기　　③　숫자　　④　우표

3）그 사람 이름을 （　15　）.

①　있었습니다　②　못합니다　③　일했습니다　④　모릅니다

4）어젯밤에 책을 한 （　16　） 읽었어요.

①　살　　　②　개　　　③　권　　　④　마리

5）이 신발을 （　17　）.

①　신으세요　②　앉으세요　③　웃으세요　④　입으세요

第54回 問題

5 （　　　）の中に入れるのに最も適切なものを①〜④の中から1つ選びなさい。

（マークシートの18番〜21番を使いなさい）　〈2点×4問〉

1） A : 이 （ 18 ）가 유진 씨 아들이에요?
　　B : 네, 맞아요.

　　① 아이　　　② 아주머니　③ 어머니　　④ 누나

2） A : 친구하고 무엇을 했어요?
　　B : 사진을 많이 （ 19 ）

　　① 나갔어요.　　　　　② 찍었어요.
　　③ 놀았어요.　　　　　④ 기다렸어요.

3） A : 언니도 키가 큽니까?
　　B : 아뇨, 언니는 키가 （ 20 ）

　　① 작습니다.　　　　　② 높습니다.
　　③ 낮습니다.　　　　　④ 나쁩니다.

4 ）　A : 저는 봄보다 가을이 （　　21　　）　좋아요.
　　　B : 나도 그래요.

①　모두　　　　②　더　　　　③　다　　　　④　같이

6 文の意味を変えずに、下線部の言葉と置き換えが可能なものを①～④の中から1つ選びなさい。
（マークシートの22番～23番を使いなさい） 〈2点×2問〉

1) 유진 씨는 머리가 <u>허리까지 와요</u>. [22]

① 짧아요   ② 좋아요   ③ 길어요   ④ 아파요

2) 저는 <u>커피를 시키겠습니다</u>. [23]

① 커피로 하겠습니다   ② 커피를 마셨습니다
③ 커피가 싫습니다   ④ 커피를 안 마시겠습니다

7 （　　　　）の中に入れるのに最も適切なものを①〜④の中から１つ選びなさい。

（マークシートの24番〜26番を使いなさい）　〈1点×3問〉

1 ）학생이 교실에서 （　**24**　）.

　　① 나오요　　② 나와요　　③ 나워요　　④ 나아요

2 ）여동생이 또 （　**25**　）.

　　① 울습니다　② 우습니다　③ 울읍니다　④ 웁니다

3 ）주말에 （　**26**　）.

　　① 운동해요　　　　　　② 운동하요
　　③ 운동하아요　　　　　④ 운동하어요

第54回

問題

8 （　　　）の中に入れるのに適切なものを①〜④の中から1つ選びなさい。

（マークシートの27番〜29番を使いなさい）　〈1点×3問〉

1）우리 할아버지는 중국말（　**27**　） 잘하세요.

①　에게　　　　②　의　　　　　③　이　　　　　④　을

2）어제 친구를 （　**28**　）?

①　만나죠　　　　　　　②　만났어요
③　만나겠습니까　　　　④　만날까요

3）A : 오늘이 화요일이에요?
　B : 화요일（　**29**　） 수요일이에요.

①　이라고 해요.　　　　②　입니다만.
③　이 아니에요.　　　　④　과 같아요.

問 題

9 次の場面や状況において最も適切なあいさつやあいづちなどの言葉を①～④の中から1つ選びなさい。

（マークシートの30番～31番を使いなさい） 〈1点×2問〉

1）初めて会ったとき 30

① 고마워요. ② 축하합니다.

③ 안녕히 가세요. ④ 처음 뵙겠습니다.

2）人に呼びかけるとき 31

① 천만에요. ② 저기요. ③ 또 봐요. ④ 맞아요.

10 対話文を完成させるのに最も適切なものを①〜④の中から
1つ選びなさい。

（マークシートの32番〜36番を使いなさい）　〈2点×5問〉

1）A :（　**32**　）

　　B : 일본에서요.

　　① 어디 가세요?
　　② 어느 나라에서 왔어요?
　　③ 한국어 공부는 재미있어요?
　　④ 누구하고 왔어요?

2）A :（　**33**　）

　　B : 아니요. 5분도 안 걸려요.

　　① 시장은 역에서 멀어요?
　　② 몇 시에 집을 나가고 싶어요?
　　③ 그 강은 어느 역에서 가까워요?
　　④ 거기에 언제 갔어요?

3）A :（ 34 ）
B : 여덟 시 오십 분이에요.

① 일을 많이 했어요? ② 무슨 요일이에요?
③ 연필로 썼어요? ④ 지금 몇 시예요?

4）A : 지금 밖에 눈이 내려요.
B : 정말요?（ 35 ）
A : 아뇨, 안 가지고 왔어요.

① 안경을 사고 싶어요? ② 어떻게 내렸어요?
③ 우산 있어요? ④ 병원에 갔어요?

5）A :（ 36 ）
B : 오늘 은행에 안 갔어요.
A : 그럼 내일은 꼭 가세요.

① 돈을 찾았어요? ② 치마를 입었어요?
③ 화장실을 찾았어요? ④ 구두를 벗었어요?

第54回 問題

11 文章を読んで、問いに答えなさい。
（マークシートの37番〜38番を使いなさい） 〈2点×2問〉

　나는 월요일부터 금요일까지 고등학교에서 영어를 가르칩니다. 토요일에는 한국어를 배웁니다. 일요일에는 아이와 같이 놉니다. 그리고 한국어 숙제도 합니다. 일주일이 정말 바쁩니다.

【問1】 筆者の職業を①〜④の中から1つ選びなさい。　　　 37

① 高校生　　　　　　　　② 専業主婦
③ 英語教師　　　　　　　④ 韓国語教師

【問2】 本文の内容と一致するものを①〜④の中から１つ選びなさい。　　　 38

① 私は中学校で英語を教えています。
② 私は日曜日に韓国語を習っています。
③ 私は毎日とても忙しいです。
④ 平日も子供と遊びます。

問　題

12 対話文を読んで、問いに答えなさい。
（マークシートの39番〜40番を使いなさい）　　〈2点×2問〉

유　진：한국 음식을 만들었어요. 많이 드세요.

히토미：고마워요. 나는 한국 음식이 처음이에요.

유　진：그래요? 이거 불고기라고 해요.

히토미：무슨 고기예요?

유　진：소고기예요. （ 39 ）

히토미：와, 맛있어요.

【問1】 （ 39 ）に入れるのに適切なものを①〜④の中から1つ選びなさい。　39

① 두 번째예요?　　② 불고기 알아요?
③ 더 주세요.　　④ 맛 좀 보세요.

【問2】 本文の内容と一致するものを①〜④の中から1つ選びなさい。　40

① ひとみは韓国料理を初めて食べます。
② 二人は一緒にプルコギを作りました。
③ ユジンはひとみに料理の作り方を教えています。
④ ひとみは肉が食べられません。

第54回

解　答　　　（＊白ヌキ数字が正答番号）

聞きとり 問題と解答

　これから5級の聞きとりテストを行います。選択肢①～④の中から解答を1つ選び、マークシートの指定された欄にマークしてください。どの問題もメモをする場合は問題冊子の空欄にしてください。マークシートにメモをしてはいけません。では始めます。

1 　4つの選択肢を2回ずつ読みます。絵の内容に合うものを①～④の中から1つ選んでください。解答はマークシートの1番～3番にマークしてください。次の問題に移るまでの時間は50秒です。

1）

1

① 이것은 책상입니다.　　→ これは机です。

❷ 이것은 고추입니다.　　→ これは唐辛子です。

③ 이것은 기차입니다.　　→ これは汽車です。

④ 이것은 꽃입니다.　　　→ これは花です。

解 答

2)

2

① 의자 밑에 고양이가 있어요.

　　→ 椅子の下にネコがいます。

② 의자 뒤에 고양이가 있어요.

　　→ 椅子の後ろにネコがいます。

❸ 의자 위에 고양이가 있어요.

　　→ 椅子の上にネコがいます。

④ 의자 앞에 고양이가 있어요.

　　→ 椅子の前にネコがいます。

3）

3

① 전화를 합니다.　→ 電話をしています。

② 노트를 삽니다.　→ ノートを買っています。

③ 책을 팝니다.　→ 本を売っています。

❹ 노래를 합니다.　→ 歌を歌っています。

2 短い文を2回読みます。（　　　）の中に入れるのに適切なものを①～④の中から1つ選んでください。解答はマークシートの4番～7番にマークしてください。次の問題に移るまでの時間は40秒です。

1）우리 집은 아파트 （십사） 층에 있어요.　4

→ 我が家はマンションの14階にあります。

❶ 14　　　　　② 15　　　　　③ 16　　　　　④ 17

《《《 聞きとり

解 答

2）ユ ドラマヌ （열두） 시부터 해요.　　　　　　5

→ そのドラマは12時から（放映）します。

① 7　　　　　② 8　　　　　③ 11　　　　❹ 12

Point　「～時」と表す時は、固有数詞に시を付ける。12の固有数詞は십이で
はなく열두なので12時は열두 시という。②여덟と聞き間違えやす
いので留意しよう。

3）한국어 교과서는 （이천） 엔입니다.　　　　　　6

→ 韓国語の教科書は2,000円です。

① 800　　　　② 900　　　　③ 1,000　　　❹ 2,000

4）동생은 （유월 이십일）에 한국에 갑니다.　　　　7

→ 弟（妹）は6月20日に韓国に行きます。

① 9월 10일　　❷ 6월 20일　　③ 9월 23일　　④ 6월 30일

Point　月日には漢数詞を用いる。ただし 6 月と10月に注意が必要である。
6 は육だが 6 月は유월になり、10は십だが10月は시월になる。

5
級

第
54
回

聞
き
と
り
　
問
題
と
解
答

35

第54回　解答

---

3 問いかけなどの文を２回読みます。その応答文として最も適切なものを①〜④の中から１つ選んでください。解答はマークシートの８番〜11番にマークしてください。次の問題に移るまでの時間は40秒です。

1) 여기까지 어떻게 왔어요?　　　　　　　　　8
　　→ ここまでどうやって来ましたか?

　　① 미안해요.　　　　→ ごめんなさい。
　　② 빨리 오세요.　　　→ 早く来てください。
　　❸ 택시로 왔어요.　　→ タクシーで来ました。
　　④ 친구가 왔어요.　　→ 友達が来ました。

2) 생일이 언제입니까?　　　　　　　　　　9
　　→ 誕生日はいつですか?

　　① 네, 스무 살입니다.　→ はい、20歳です。
　　❷ 모레입니다.　　　　→ 明後日です。
　　③ 네, 멉니다.　　　　→ はい、遠いです。
　　④ 둘째 아들입니다.　　→ ２番目の息子です。

Point 「〇〇はいつですか」「〇〇は何ですか」のように疑問詞언제、무엇、어디、누구、얼마などを伴い、－입니까や－예요?/－이에요?で終わる疑問文では、普通、〇〇の後ろに助詞－가/이を用いる。「トイレはどこですか」は화장실이 어디예요?、「年は何歳ですか」は나이가 몇 살이에요?と言う。

解 答

3) 이거 선물이에요. 　10

→ これ、プレゼントです。

❶ 감사합니다. 잘 쓰겠습니다.

→ ありがとうございます。大切に使います。

② 저는 한글로 쓰겠습니다.

→ 私はハングルで書きます。

③ 네, 축하합니다.

→ はい、おめでとうございます。

④ 저는 뉴스를 싫어해요.

→ 私はニュースが嫌いです。

Point 音声からプレゼントをもらう場面であることがわかるので、①감사합니다. 잘 쓰겠습니다.「ありがとうございます。大切に使います。」を選びたい。감사합니다.の後にある잘 쓰겠습니다.の잘は日本語に訳しづらいが、この場面のようにお礼を述べるときに감사합니다や고맙습니다だけでなく、잘 ~겠습니다を用いて「(いただいたものを)十分に~します」と感謝の気持ちを伝えるのに用いる。

4) 여보세요? 김민숙 씨 집이죠? 　11

→ もしもし？　キム・ミンスクさんの家ですよね？

❶ 네, 맞습니다. 그런데 누구시지요?

→ はい、そうです。ところでどちらさまでしょう？

② 아뇨, 호텔은 우리 집 옆에 있어요.

→ いいえ、ホテルは我が家の横にあります。

第54回　解答

③ 아니에요. 제가 김민숙이에요.

→ ちがいます。私がキム・ミンスクです。

④ 저는 김민숙 씨를 잘 알아요.

→ 私はキム・ミンスクさんをよく知っています。

Point 電話で話している場面である。김민숙 씨 집이죠?とは、김민숙 씨 집이다「キム・ミンスクさんの家だ」の文末に、-죠?「～ですよね?」という相手に確認する語尾を付けたもので、「キム・ミンスクさんの家ですよね?」と尋ねている。

4 ①～④の選択肢を2回ずつ読みます。応答文として最も適切なもの1つ選んでください。解答はマークシートの12番～15番にマークしてください。次の問題に移るまでの時間は40秒です。

1) 男 : 왜 약을 먹어요?

女 : (　**12**　)

→ 男 : なぜ薬を飲むのですか?
　女 : (　**12**　)

① 배가 좀 고픕니다.　　→ 少しお腹がすいています。

② 식당에 곧 가겠습니다.　→ すぐ食堂に行きます。

③ 날씨가 아주 좋습니다.　→ とても天気がいいです。

❹ 머리가 많이 아픕니다.　→ かなり頭が痛いです。

Point 「薬を飲む」というとき日本語とは異なり韓国語では약을 먹다【直

解 答

訳：薬を食べる】を用いることが一般的である。

2）男：손님, 어디까지 가세요?

女：(　13　)

→ 男：お客様、どこまで行かれますか？
　　女：(　13　)

① 여섯 시까지 끝납니다.

→ 6時までに終わります。

② 공항에서 만나요.

→ 空港で会いましょう。

❸ 서울병원까지 부탁드려요.

→ ソウル病院までお願いいたします。

④ 시간이 많이 지났어요.

→ 時間がだいぶ過ぎました。

3）女：수업이 몇 시부터예요?

男：(　14　)

→ 女：授業は何時からですか？
　　男：(　14　)

❶ 오늘은 수업이 없어요.

→ 今日は授業がありません。

② 수업은 재미있어요.

→ 授業は面白いです。

③ 90분이에요.

→ 90分です。

④ 저분이 선생님이세요.

→ あの方が先生でいらっしゃいます。

Point 女性が몇 시부터예요?「何時からですか？」と尋ねているので、応答文に数字が現れると想像しやすいが、実際の会話の場面でも、この問題のように数字以外の応答文の可能性も十分にあり得る。

4) 女 : 이 빵 맛있죠?

男 : (　15　)

→ 女 : このパンおいしいですよね？
　 男 : (　15　)

① 그리고 설탕도 넣으세요.

→ そして砂糖も入れてください。

❷ 네. 누가 만들었어요?

→ はい、誰が作ったのですか？

③ 아뇨. 우유를 다 마셨어요.

→ いいえ、牛乳を全部飲みました。

④ 하지만 과일은 먹었어요.

→ しかし、果物は食べました。

Point 女性の이 빵 맛있죠?「このパンおいしいですよね？」の-죠?「～ですよね？」は、相手に同意を求める意として用いられている。-죠?(-지요?の縮約形)は相手へ確認や同意を求める語尾である。

解 答

---

5 対話文を2回読みます。その内容と一致するものを①〜④の中から1つ選んでください。解答はマークシートの16番〜20番にマークしてください。次の問題に移るまでの時間は50秒です。

1) 男：오래간만이에요. 그런데 이분이 누구세요?

　 女：제 친구 히토미예요.　　　　　　　　　　　　　 16

　→ 男：久しぶりです。ところでこの方はどなたですか？
　　 女：私の友達ひとみです。

❶ 男性はひとみと初めて会いました。

② 男性はひとみと久しぶりに会いました。

③ 3人とも自己紹介しています。

④ 3人は毎日一緒に働いています。

Point 男性の発話の이분이　누구세요?で、助詞 −이が用いられることについては、前述のマークシート 9 のワンポイントを参照。

2) 男：남자 친구하고 결혼 안 해요?

　 女：저는 빨리 하고 싶어요.　　　　　　　　　　　 17

　→ 男：ボーイフレンドと結婚しないんですか？
　　 女：私は早くしたいです。

① 女性は付き合っている人がいません。

❷ 女性はまだ結婚していません。

③ 男性は女性にプロポーズしています。

④ 二人は結婚式の計画を立てています。

3) 男 : 언제부터 한국어 공부를 시작했어요?

女 : 올해부터요. 한국 친구하고 한국어로 이야기하고 싶어

요.　　　　　　　　　　　　　　　　　　　　18

→ 男 : いつから韓国語の勉強を始めましたか？
女 : 今年からです。韓国の友達と韓国語で話したいです。

① 女性は韓国旅行をしたがっています。
② 二人は一緒に韓国語の勉強を始めました。
③ 女性は昨年から韓国語を勉強しています。
❹ 女性は今年から韓国語の勉強を始めました。

Point 男性が언제부터 한국어 공부를 시작했어요?「いつから韓国語の勉強を始めましたか？」と尋ねているのに対して、女性は올해부터 한국어 공부를 시작했어요.「今年から始めました。」という意味で、直前の男性の文にある한국어 공부를 시작했ーの重複を避け올해부터요.「今年からです。」と言っている。

4) 男 : 실례합니다. 김 선생님 계세요?

女 : 김 선생님은 지금 교실에서 수업을 하십니다. 수업은

세 시에 끝납니다.

男 : 알겠습니다. 그럼 세 시쯤에 다시 오겠습니다.　19

→ 男 : 失礼します。キム先生いらっしゃいますか？
女 : キム先生は今教室で授業をしていらっしゃいます。　授業は3
時に終わります。
男 : わかりました。では、3時ごろにまた来ます。

解　答

　　① キム先生は今日学校に来ていません。

　　② 男性は明日もキム先生に会いに来るつもりです。

　　❸ 男性は３時頃、同じ場所にまた来るつもりです。

　　④ キム先生の授業は３時に始まります。

5) 女 : 여보세요? 윤호 씨, 지금 어디예요?

　　男 : 학교 앞에 왔어요. 유미 씨는요?

　　女 : 지금 버스를 탔어요. 10분만 기다리세요.　|20|

　　→ 女 : もしもし？　ユノさん、今どこですか？
　　　　男 : 学校の前に来ました。ユミさんは？
　　　　女 : いまバスに乗っています。10分だけ待ってください。

　　① 二人は学校の前で話しています。

　　② 女性は家にいます。

　　③ 二人は教室にいます。

　　❹ 二人は待ち合わせをしています。

解　答　　　（＊白ヌキ数字が正答番号）

筆記 問題と解答

1 発音どおり表記したものを①～④の中から１つ選びなさい。

1）音楽입니다　→ 音楽です　　　　　　　　　　　　1

① ［으마긴니다］　　　　　　② ［음마깅니다］
❸ ［으마김니다］　　　　　　④ ［음마김니다］

2）학교　→ 学校　　　　　　　　　　　　　　　　2

① ［하교］　　② ［항교］　　③ ［학교］　　❹ ［학꾜］

Point 詰まる音の終声[-p]、[-k]、[-t]の後ろに、初声のㄱ、ㄷ、ㅂ、ㅅ、ㅈが続くと、それらは濃音ㄲ、ㄸ、ㅃ、ㅆ、ㅉとして発音される。これを濃音化という。

3）싫어요　→ 嫌です　　　　　　　　　　　　　　3

① ［실러요］　　❷ ［시러요］　　③ ［시어요］　　④ ［시허요］

解 答

2 次の日本語に当たる単語を正しく表記したものを①～④の中から1つ選びなさい。

1）豚　　　　　　　　　　　　　　　　　　　　　4

　　① 되찌　　　② 되치　　　❸ 돼지　　　④ 돼찌

2）問題　　　　　　　　　　　　　　　　　　　　5

　　① 뭉제　　　② 믄제　　　❸ 문제　　　④ 몽제

3）遅い　　　　　　　　　　　　　　　　　　　　6

　　① 늑다　　　② 늣다　　　③ 늡다　　　❹ 늦다

Point 単語を覚えるときは、発音しながら書きながら、母音やパッチムを発音するときの口の形を意識しながら、筋肉に記憶させるイメージで覚えるようにしよう。

4）易しい　　　　　　　　　　　　　　　　　　　7
　　やさ

　　❶ 쉽다　　　② 십다　　　③ 셧다　　　④ 싣다

45

第54回

3 次の日本語に当たるものを①～④の中から１つ選びなさい。

1) 道　　　　　　　　　　　　　　　　　　　　　8

　　① 달　 → 月　　　　　　　❷ 길　 → 道
　　③ 여름　→ 夏　　　　　　　④ 딸　 → 娘

2) 家族　　　　　　　　　　　　　　　　　　　　9

　　① 신문　→ 新聞　　　　　　② 감기　 → 風邪
　　③ 양말　→ くつ下　　　　　❹ 가족　 → 家族

3) 送る　　　　　　　　　　　　　　　　　　　　10

　　❶ 보내다　→ 送る　　　　　② 지나다　　→ 過ぎる
　　③ 가지다　→ 持つ　　　　　④ 일어나다　→ 起きる

4) すぐ　　　　　　　　　　　　　　　　　　　　11

　　① 끝　→ 終わり　　　　　　❷ 곧　→ すぐ
　　③ 또　→ また　　　　　　　④ 왜　→ なぜ

解 答

5）暑い   12

① 차다　→ 冷たい　　　② 춥다　→ 寒い
❸ 덥다　→ 暑い　　　　④ 비싸다　→ 高い

4 （　　　）の中に入れるのに最も適切なものを①〜④の中から
1つ選びなさい。

1）이 가게는 （ 13 ）가 싸요.
　→ この店は（ 13 ）が安いです。

① 귀 → 耳　　　　　② 나이　→ 歳
③ 코 → 鼻　　　　❹ 닭고기　→ 鶏肉

2）（ 14 ）를 타고 한국에 갑니다.
　→ （ 14 ）に乗って韓国に行きます。

① 시계 → 時計　　　❷ 비행기　→ 飛行機
③ 숫자 → 数字　　　④ 우표　→ 切手

3）그 사람 이름을 （ 15 ）.
　→ その人の名前を（ 15 ））。

第54回   解答

① 있었습니다　→ ありました

② 못합니다　　→ 出来ません

③ 일했습니다　→ 働きました

❹ 모릅니다　　→ 知りません

4) 어젯밤에 책을 한 (　16　) 읽었어요.

→ 昨晩、本を 1 (　16　) 読みました。

① 살　→ 歳　　　　　　② 개　　→ 個

❸ 권　→ 冊　　　　　　④ 마리　→ 匹

Point 固有数詞に권を用いると「冊」を表し、漢数詞に권を用いると「巻」を表す。

5) 이 신발을 (　17　).

→ この靴を (　17　)。

❶ 신으세요　→ 履いてください

② 앉으세요　→ 座ってください

③ 웃으세요　→ 笑ってください

④ 입으세요　→ 着てください

Point 「靴をはく」は신발을　신다と連語（名詞と用言の組み合わせ）で覚えておこう。

解　答

5（　　　　）の中に入れるのに最も適切なものを①～④の中から
1つ選びなさい。

1）A：이（　18　）가 유진 씨 아들이에요?

　　B：네, 맞아요.

　　→ A：この（　18　）がユジンさんの息子ですか?
　　　　B：はい、そうです。

　　❶ 아이　→ 子供　　　　② 아주머니　→ おばさん

　　③ 어머니　→ 母　　　　④ 누나　　　→ 姉

2）A：친구하고 무엇을 했어요?

　　B：사진을 많이（　19　）

　　→ A：友達と何をしましたか?
　　　　B：写真をたくさん（　19　）

　　① 나갔어요.　　→ 出ていきました。

　　❷ 찍었어요.　　→ 撮りました。

　　③ 놀았어요.　　→ 遊びました。

　　④ 기다렸어요.　→ 待ちました。

3）A：언니도 키가 큽니까?

　　B：아뇨, 언니는 키가（　20　）

　　→ A：お姉さんも背が高いですか?
　　　　B：いいえ、姉は背が（　20　）

49

第54回 解答 《《《筆記

❶ 작습니다. → 低いです。

② 높습니다. → 高いです。

③ 낮습니다. → 低いです。

④ 나쁩니다. → 悪いです。

Point 키가 큽니까?「背が高いですか?」という応答文として、Bは아뇨「いいえ」と答えているので反対の意味「背が低い」という言葉を選ぶ。身長について述べる場合、높다「高い」낮다「低い」は用いない。「背が高い」は키가 크다、「背が低い」は키가 작다という。

4) A：저는 봄보다 가을이 (21) 좋아요.

B：나도 그래요.

→ A：私は春より秋が(21)好きです。

B：私もそうです。

① 모두 → みな ❷ 더 → もっと

③ 다 → すべて ④ 같이 → 一緒に

Point ②더「もっと」は比較を表す助詞－보다「～より」と一緒に使うことが多い。

50

解 答

---

6 文の意味を変えずに、下線部の言葉と置き換えが可能なもの
を①〜④の中から1つ選びなさい。

1) 유진 씨는 머리가 <u>허리까지 와요</u>. 　　　　　　22

　　→ ユジンさんは髪が<u>腰まできています</u>。

　　① 짧아요 → 短いです　　　② 좋아요 → 良いです

　　❸ 길어요 → 長いです　　　④ 아파요 → 痛いです

Point 허리까지は「腰まで」、와요は辞書形が오다で「くる」である。つまり
腰まで髪が伸びていることを意味する。よって머리가 길어요「髪が
長いです」が同じ意味になる。

2) 저는 <u>커피를 시키겠습니다</u>. 　　　　　　　　23

　　→ 私は<u>コーヒーを注文します</u>。

　　❶ 커피로 하겠습니다 　　　　→ コーヒーにします

　　② 커피를 마셨습니다 　　　　→ コーヒーを飲みました

　　③ 커피가 싫습니다 　　　　　→ コーヒーが嫌いです

　　④ 커피를 안 마시겠습니다 → コーヒーを飲みません

Point 시키겠습니다「注文します」は시키다「注文する」の語幹に未来意志
を表す-겠-と丁寧体の終止形語尾-습니다がついたものである。
意志を表しているので選択肢②커피를 마셨습니다「コーヒーを飲
みました」は誤り。また、①커피로 하겠습니다「コーヒーにします」
の-(으)로 하다は「〜にする、〜に決定する」という意味である。
留意する点は名詞の後을로にするか로にするかである。커피「コ
ーヒー」は母音で終わる(パッチム無)名詞なので-로 하다だが、前

にくる名詞が子音で終わる(パッチム有)場合－으로 하다を用いる。
例えば김밥「のりまき」は김밥으로 하겠습니다「のりまきにします」
となる。ただし、ㄹパッチムで終わる名詞の後は으を入れない。例
えば삼겹살「サムギョプサル」ならば삼겹살로 하겠습니다となる。
－(으)로 하다「～にする」は－을/를 시키다「～を注文する」と共に
日常的に使う表現なので覚えておこう。

7 (　　　　)の中に入れるのに適切なものを①～④の中から１つ
選びなさい。

１）학생이 교실에서 (　**24**　).
→ 学生が教室から(　**24**　)。

① 나오요　→ ×　　　　　❷ 나와요　→ 出てきます
③ 나워요　→ ×　　　　　④ 나아요　→ ×

２）여동생이 또 (　**25**　).
→ 妹がまた(　**25**　)。

① 울습니다　→ ×　　　　② 우습니다　→ ×
③ 울읍니다　→ ×　　　　❹ 웁니다　　→ 泣いてます

Point 辞書形은울다「泣く」で語幹울はㄹパッチムで終わる語幹である。これ
をㄹ語幹という。ㄹ語幹は丁寧形の합니다体でㄹパッチムがなく
なる(脱落する)ということに留意しなければならない。

解 答

3) 주말에 (　26　).

→ 週末に(　26　)。

❶ 운동해요　→ 運動します　② 운동하요　　→ ×

③ 운동하아요　→ ×　　　　④ 운동하어요　→ ×

8（　　　　）の中に入れるのに適切なものを①〜④の中から１つ
選びなさい。

1) 우리 할아버지는 중국말(　27　) 잘하세요.

→ うちのおじいさんは中国語(　27　)上手です。

① 에게　→ に　　　　② 의　→ の

③ 이　　→ が　　　　❹ 을　→ を

Point　「〜が上手だ」の「〜が」に当たる助詞は、−가/이ではなく−를/을を
用いる。日本語で「〜が」を用いるが、韓国・朝鮮語では−를/을を用
いる他の例に、「〜ができない」−를/을 못하다、「〜が好きだ」−를/
을 좋아하다、「〜が嫌いだ」−를/을 싫어하다などがある。

2) 어제 친구를 (　28　)?

→ 昨日友達に(　28　)?

① 만나죠　　　→ 会いますよね

❷ 만났어요　　→ 会いましたか

第54回 解答

③ 만나겠습니까　→ 会いますか

④ 만날까요　　　→ 会いましょうか

3) A : 오늘이 화요일이에요?

B : 화요일(　29　) 수요일이에요.

→ A : 今日が火曜日ですか？

B : 火曜日(　29　)水曜日です。

① 이라고 해요.　→ と言います。

② 입니다만.　　→ ですが。

❸ 이 아니에요.　→ ではありません。

④ 과 같아요.　　→ のようです。

---

9 次の場面や状況において最も適切なあいさつやあいづちなど
の言葉を①〜④の中から1つ選びなさい。

1) 初めて会ったとき　　　　　　　　　　　　　　29 30

① 고마워요.　　　　→ ありがとうございます。

② 축하합니다.　　　→ おめでとうございます。

③ 안녕히 가세요.　→ さようなら。

❹ 처음 뵙겠습니다.　→ 初めまして。

解 答

2）人に呼びかけるとき $\boxed{31}$

① 천만에요.   → どういたしまして。

❷ 저기요.   → あのう。

③ 또 봐요.   → また会いましょう。

④ 맞아요.   → そうです。

$\boxed{10}$ 対話文を完成させるのに最も適切なものを①～④の中から1
つ選びなさい。

1）A：（ $\boxed{32}$ ）

B：일본에서요.

→ A：（ $\boxed{32}$ ）

B：日本からです。

① 어디 가세요?

→ どこに行かれますか？

❷ 어느 나라에서 왔어요?

→ どの国から来ましたか？

③ 한국어 공부는 재미있어요?

→ 韓国語の勉強は面白いですか？

④ 누구하고 왔어요?

→ 誰と来ましたか？

第54回　解答

> **Point** 어느 나라「どの国」を使って、어느 나라 사람입니까?「どこの国の人ですか？」と尋ねることができる。

2）A：（　**33**　）

　　B：아니요.　5분도 안 걸려요.

　→　A：（　**33**　）

　　　B：いいえ。5分もかかりません。

❶ 시장은 역에서 멀어요?

　　→ 市場は駅から遠いですか？

② 몇 시에 집을 나가고 싶어요?

　　→ 何時に家を出たいですか？

③ 그 강은 어느 역에서 가까워요?

　　→ その川はどの駅から近いですか？

④ 거기에 언제 갔어요?

　　→ そこにいつ行きましたか？

> **Point** Bの発話中の5分도は「5分も」の意味である。안 걸려요は辞書形걸리다「かかる」を안で否定して「かかりません」となる。아니요.「いいえ。」から始まっているBのセリフの応答文として、Aは멀어요?「遠いですか？」と尋ねる①を選びたい。

3）A：（　**34**　）

　　B：여덟 시 오십 분이에요.

　→　A：（　**34**　）

　　　B：8時50分です。

解 答

① 일을 많이 했어요?　→ 仕事をたくさんしましたか？

② 무슨 요일이에요?　→ 何曜日ですか？

③ 연필로 썼어요?　→ 鉛筆で書きましたか？

❹ 지금 몇 시예요?　→ 今、何時ですか？

4）A：지금 밖에 눈이 내려요.

　　B：정말요?　(　35　)

　　A：아뇨, 안 가지고 왔어요.

　→ A：今、外に雪が降っています。
　　　B：本当ですか？　(　35　)
　　　A：いいえ、持ってこなかったです。

① 안경을 사고 싶어요?　→ メガネを買いたいですか？

② 어떻게 내렸어요?　→ どのように降りたのですか？

❸ 우산 있어요?　→ 傘ありますか？

④ 병원에 갔어요?　→ 病院に行きましたか？

Point 눈이 내려요의 내려요는 辞書形내리다で「(乗り物から)降りる」「(値段)が下がる」「(雨や雪が)降る」の意味がある。そこから눈は目ではなく雪だとわかる。なので④병원에 갔어요?「病院に行きましたか？」ではなく③우산 있어요?「傘ありますか？」が正解になる。

5）A：(　36　)

　　B：오늘 은행에 안 갔어요.

　　A：그럼 내일은 꼭 가세요.

　→ A：(　36　)
　　　B：今日銀行に行きませんでした。

A：では明日は必ず行ってください。

❶ 돈을 찾았어요?　　　→ お金をおろしましたか？

② 치마를 입었어요?　　→ スカートをはきましたか？

③ 화장실을 찾았어요?　→ トイレを見つけましたか？

④ 구두를 벗었어요?　　→ 靴を脱ぎましたか？

11 文章を読んで、問いに答えなさい。

　나는 월요일부터 금요일까지 고등학교에서 영어를 가르칩니다. 토요일에는 한국어를 배웁니다. 일요일에는 아이와 같이 놉니다. 그리고 한국어 숙제도 합니다. 일주일이 정말 바쁩니다.

→ 私は月曜日から金曜日まで高校で英語を教えています。土曜日は韓国語を学びます。日曜日には子供と一緒に遊びます。そして韓国語の宿題もします。一週間が本当に忙しいです。

【問1】　筆者の職業を①〜④の中から1つ選びなさい。　　37

　① 高校生　　　　　　② 専業主婦

　❸ 英語教師　　　　　④ 韓国語教師

解 答

【問2】 本文の内容と一致するものを①～④の中から1つ選びな
さい。 38

① 私は中学校で英語を教えています。
② 私は日曜日に韓国語を習っています。
❸ 私は毎日とても忙しいです。
④ 平日も子供と遊びます。

Point 本文3つ目の文中の놀니다は、辞書形が놀다である。ハムニダ体では
語幹の놀からㄹがなくなる。本文最後の바쁩니다は、辞書形が바쁘
다である。바쁘다は으語幹用言のひとつで、ヘヨ体は바빠요である。

12 対話文を読んで、問いに答えなさい。

유 진 : 한국 음식을 만들었어요. 많이 드세요.
히토미 : 고마워요. 나는 한국 음식이 처음이에요.
유 진 : 그래요? 이거 불고기라고 해요.
히토미 : 무슨 고기예요?
유 진 : 소고기예요. (39)
히토미 : 와, 맛있어요.

→ ユジン : 韓国の食べ物を作りました。たくさん召し上がってください。
ひとみ : ありがとうございます。私は韓国の食べ物が初めてです。
ユジン : そうですか？ これプルコギといいます。
ひとみ : 何の肉ですか？
ユジン : 牛肉です。(39)
ひとみ : わぁ、おいしいです。

解 答

【問1】 （ 39 ）に入れるのに適切なものを①〜④の中から1つ選びなさい。

39

① 두 번째예요?　　→ 2回目ですか？
② 불고기 알아요?　→ プルコギ知っていますか？
③ 더 주세요.　　　→ もっとください。
❹ 맛 좀 보세요.　　→ ちょっと味見してください。

Point ④맛 좀 보세요.は맛「味」좀「ちょっと」보세요「みてください」が組み合わさって「ちょっと味見してください。」と訳す。좀「ちょっと」の位置が日本語とは異なり、動詞や形容詞の直前にくる。韓国語と日本語の違いの1つとして、副詞の位置の違いもある。

【問2】 本文の内容と一致するものを①〜④の中から1つ選びなさい。

40

❶ ひとみは韓国料理を初めて食べます。
② 二人は一緒にプルコギを作りました。
③ ユジンはひとみに料理の作り方を教えています。
④ ひとみは肉が食べられません。

５級聞きとり 正答と配点

●40点満点

問題	設問	マークシート番号	正　答	配　点
1	1)	1	②	2
	2)	2	③	2
	3)	3	④	2
2	1)	4	①	2
	2)	5	④	2
	3)	6	④	2
	4)	7	②	2
3	1)	8	③	2
	2)	9	②	2
	3)	10	①	2
	4)	11	①	2
4	1)	12	④	2
	2)	13	③	2
	3)	14	①	2
	4)	15	②	2
5	1)	16	①	2
	2)	17	②	2
	3)	18	④	2
	4)	19	③	2
	5)	20	④	2
合　計				40

5級筆記　正答と配点

●60点満点

問題	設問	マークシート番号	正答	配点
1	1)	1	③	1
	2)	2	④	1
	3)	3	②	1
2	1)	4	③	1
	2)	5	③	1
	3)	6	④	1
	4)	7	①	1
3	1)	8	②	1
	2)	9	④	1
	3)	10	①	1
	4)	11	②	1
	5)	12	③	1
4	1)	13	④	2
	2)	14	②	2
	3)	15	④	2
	4)	16	③	2
	5)	17	①	2
5	1)	18	①	2
	2)	19	②	2
	3)	20	①	2
	4)	21	②	2

問題	設問	マークシート番号	正答	配点
6	1)	22	③	2
	2)	23	①	2
7	1)	24	②	1
	2)	25	④	1
	3)	26	①	1
8	1)	27	④	1
	2)	28	②	1
	3)	29	③	1
9	1)	30	④	1
	2)	31	②	1
10	1)	32	②	2
	2)	33	①	2
	3)	34	④	2
	4)	35	③	2
	5)	36	①	2
11	問1	37	③	2
	問2	38	③	2
12	問1	39	④	2
	問2	40	①	2
合　計				60

◎4級（初級後半）のレベルの目安と合格ライン

■レベルの目安
　60分授業を80回受講した程度。基礎的な韓国・朝鮮語を理解し、それらを用いて表現できる。
・比較的使用頻度の高い約1,070語の単語や文型からなる文を理解することができる。
・決まり文句を用いて様々な場面であいさつ・あいづちや質問ができ、事実を伝え合うことができる。また、レストランでの注文や簡単な買い物をする際の依頼や簡単な誘いなどを行うことができる。
・簡単な日記や手紙、メールなどの短い文を読み、何について述べられたものなのかをつかむことができる。
・自分で辞書を引き、頻繁に用いられる単語の組み合わせ（連語）についても一定の知識を持ちあわせている。

■合格ライン
●100点満点（聞取40点 筆記60点）中、<u>60点以上合格</u>。
※5、4級は合格点（60点）に達していても、聞きとり試験を受けていないと不合格になります。

◎記号について
　[　]：発音の表記であることを示す。
　〈　〉：漢字語の漢字表記（日本漢字に依る）であることを示す。
　（　）：当該部分が省略可能であるか、前後に（　）内のような単語などが続くことを示す。
　【　】：品詞情報など、何らかの補足説明が必要であると判断された箇所に用いる。
　「　」：**Point**中の日本語訳であることを示す。
　　★：大韓民国と朝鮮民主主義人民共和国とでの、正書法における表記の違いを示す（南★北）。

◎「、」と「；」の使い分けについて
　1つの単語の意味が多岐にわたる場合、関連の深い意味同士を「、」で区切り、それとは異なる別の意味で捉えた方が分かりやすいものは「；」で区切って示した。また、同音異義語の訳についても、「；」で区切っている。

◎／ならびに〔／〕について
　／は言い替え可能であることを示す。用言語尾の意味を考える上で、動詞や形容詞など品詞ごとに日本語訳が変わる場合は、例えば、「〜｜する／である｜が」のように示している。これは、「〜するが」、「〜であるが」という意味である。

4級

聞きとり　20問/30分
筆　記　40問/60分

2020年　第54回
「ハングル」能力検定試験

【試験前の注意事項】
1）監督の指示があるまで、問題冊子を開いてはいけません。
2）聞きとり試験中に筆記試験の問題部分を見ることは不正行為となるので、充分ご注意ください。
3）この問題冊子は試験終了後に持ち帰ってください。
　　マークシートを教室外に持ち出した場合、試験は無効となります。
※ CD3 などの番号はCDのトラックナンバーです。

【マークシート記入時の注意事項】
1）マークシートへの記入は「記入例」を参照し、ＨＢ以上の黒鉛筆またはシャープペンシルではっ
　　きりとマークしてください。ボールペンやサインペンは使用できません。
　　訂正する場合、消しゴムで丁寧に消してください。
2）氏名、受験地、受験地コード、受験番号、生まれ月日は、もれのないよう正しくマークし、記入
　　してください。
3）マークシートにメモをしてはいけません。メモをする場合は、この問題冊子にしてください。
4）マークシートを汚したり、折り曲げたりしないでください。

※試験の解答速報は、試験終了後、協会公式ＨＰにて公開します。
※試験結果や採点について、お電話でのお問い合わせにはお答えできません。
※この問題冊子の無断複写・ネット上への転載を禁じます。

「ハングル」能力検定試験

個人情報欄 ※必ずご記入ください

受験級
2 級 … ○
準2級 … ○
3 級 … ○
4 級 … ○
5 級 … ○

受験地コード / 受験番号 / 生まれ月日

氏名 / 受験地

見本

(記入心得)
1. HB以上の黒鉛筆またはシャープペンシルを使用してください。(ボールペン・マジックは使用不可)
2. 訂正するときは、消しゴムで完全に消してください。
3. 枠からはみ出さないように、ていねいに塗りつぶしてください。

(記入例)解答が「1」の場合
良い例 / 悪い例 (レ点・線・バッテン・点・うすい)

聞きとり

1〜20

筆記

1〜40

41問〜50問は2級のみ解答

41〜50

ハングル能力検定協会

K12516T 110kg

66

聞きとり問題

CD29

1 質問文と選択肢を2回ずつ読みます。絵を見て、【質問】に対する答えとして適切なものを①〜④の中から1つ選んでください。解答はマークシートの1番〜3番にマークしてください。

（空欄はメモをする場合にお使いください）　〈2点×3問〉

CD30

1）【質問】＿＿＿＿＿＿＿＿＿＿＿＿＿＿＿＿＿＿＿＿＿＿＿＿＿＿　　1

①＿＿＿＿＿＿＿＿＿＿＿＿＿＿＿＿＿＿＿＿＿＿＿＿＿＿＿＿＿＿＿
②＿＿＿＿＿＿＿＿＿＿＿＿＿＿＿＿＿＿＿＿＿＿＿＿＿＿＿＿＿＿＿
③＿＿＿＿＿＿＿＿＿＿＿＿＿＿＿＿＿＿＿＿＿＿＿＿＿＿＿＿＿＿＿
④＿＿＿＿＿＿＿＿＿＿＿＿＿＿＿＿＿＿＿＿＿＿＿＿＿＿＿＿＿＿＿

CD31

2)【質問】 _____ 2

①_____

②_____

③_____

④_____

問　題

CD32

3）【質問】＿＿＿＿＿＿＿＿＿．＿＿＿＿＿＿＿＿＿＿＿＿＿＿＿　3

①＿＿＿＿＿＿＿＿＿＿＿＿＿＿＿＿＿＿＿＿＿＿＿＿＿＿＿＿＿

②＿＿＿＿＿＿＿＿＿＿＿＿＿＿＿＿＿＿＿＿＿＿＿＿＿＿＿＿＿

③＿＿＿＿＿＿＿＿＿＿＿＿＿＿＿＿＿＿＿＿＿＿＿＿＿＿＿＿＿

④＿＿＿＿＿＿＿＿＿＿＿＿＿＿＿＿＿＿＿＿＿＿＿＿＿＿＿＿＿

問　題

CD33

2 　短い文と選択肢を2回ずつ読みます。文の内容に合うもの
を①〜④の中から1つ選んでください。解答はマークシー
トの4番〜7番にマークしてください。
　（空欄はメモをする場合にお使いください）　〈2点×4問〉

CD34

1 ）--- ☐ 4

　　　①_____　②_____　③_____　④_____

CD35

2 ）--- ☐ 5

　　　①_____　②_____　③_____　④_____

CD36

3 ）--- ☐ 6

　　　①_____　②_____　③_____　④_____

問　題

CD37

4）_____ 7

①_____　②_____　③_____　④_____

CD38

3 問いかけなどの文を2回読みます。その応答文として適切なものを①〜④の中から1つ選んでください。解答はマークシートの8番〜12番にマークしてください。
(空欄はメモをする場合にお使いください) 〈2点×5問〉

CD39

1) -- ☐8☐

① 이 귤이 달고 맛있어요.
② 반찬은 모자라지 않아요.
③ 네, 도시락을 집에 두고 왔거든요.
④ 저는 매운 걸 좋아하거든요.

CD40

2) -- ☐9☐

① 누가 이 문장을 번역했어요?
② 많이 연습하면 돼요.
③ 언제 영어 노래를 불렀어요?
④ 일본 친구하고 말이 통해서 기뻤어요.

問 題

CD41

3) --- 10

① 어제 만난 것처럼 느꼈어요.
② 지난번과 모양이 달라요.
③ 1 년 배웠지만 잘 못합니다.
④ 30분 후에 여기로 모여 주세요.

CD42

4) --- 11

① 시청 앞에서 외국인을 만났어요.
② 1 번 출구를 나가서 왼쪽으로 가세요.
③ 중학교까지 자전거로 갔어요.
④ 큰길에도 자동차가 많지 않아요.

CD43

5) --- 12

① 좀 좁지만 마음에 들어요.
② 우리 교실은 벽이 흰색이에요.
③ 주말이라서 거리에 사람이 많죠?
④ 여기 불을 켜면 안 돼요.

CD44

4 文章もしくは対話文を2回読みます。その内容と一致する
ものを①～④の中から1つ選んでください。解答はマーク
シートの13番～17番にマークしてください。
（空欄はメモをする場合にお使いください）　〈2点×5問〉

CD45

1）--
--　[13]

① 薬は食事の後に飲まなければなりません。
② 薬は1日に1回飲めばよいです。
③ 薬を飲んでから食事をしなければなりません。
④ 食事をしたら薬を飲んではいけません。

CD46

2）--
--　[14]

① 今日、韓国の絵画の授業を受けました。
② 韓国の友人と絵を描いて遊びました。
③ 友達は絵についてよく知っています。
④ 友達と美術館に行きました。

CD47

3） --
-- ⬚15

① 昨日、料理に砂糖を入れ過ぎました。
② 昨日、塩味のお菓子を買いました。
③ お菓子に砂糖と塩を入れ間違えました。
④ 砂糖を買おうとして塩を買ってしまいました。

CD48

4）男： --
　　女： --
　　男： -- ⬚16

① 男性はコンサートに1度行ったことがあります。
② この歌手は歌がうまくありません。
③ 女性はこの歌手の歌を聞いたことがありません。
④ 二人は一緒にコンサートに行きました。

CD49

5）女：_____

　　男：_____

　　女：_____

　　男：_____

　　女：_____　　17

① 男性は女性と一緒に服を買いに来ました。

② 男性は黒いスーツを買うことにしました。

③ この店には明るい色のスーツはありません。

④ 男性は新しいスーツを買おうとしています。

問　題

CD50

5 対話文を２回読みます。引き続き選択肢も２回ずつ読みます。【質問】に対する答えとして適切なものを①〜④の中から１つ選んでください。解答はマークシートの18番〜20番にマークしてください。
（空欄はメモをする場合にお使いください）　　〈2点×3問〉

CD51

１）男：_____
　　女：_____
　　男：_____
　　女：_____
　　男：_____

【質問】　女性はどこに行きましたか。　　　　18

　　①_____
　　②_____
　　③_____
　　④_____

第54回　問　題

CD53

2）女：_____

　　男：_____

　　女：_____

　　男：_____

　　女：_____

【質問】　男性はこの後何をするでしょうか。　　　　19

　　①_____

　　②_____

　　③_____

　　④_____

問　題

CD55

3 ）　男：_____
　　　女：_____
　　　男：_____
　　　女：_____
　　　男：_____
　　　女：_____

【質問】　対話の内容と一致するものはどれですか。　　　20

　　　　①_____
　　　　②_____
　　　　③_____
　　　　④_____

筆記問題

1 発音どおり表記したものを①～④の中から1つ選びなさい。
(マークシートの1番～4番を使いなさい)　〈1点×4問〉

1) 콧물　　　　　　　　　　　　　　　　　　　　　1

　　① [콘물]　　② [콜물]　　③ [콩물]　　④ [콤물]

2) 저렇게　　　　　　　　　　　　　　　　　　　　2

　　① [저러게]　　② [저러케]　　③ [저러께]　　④ [저런게]

3) 생일날에　　　　　　　　　　　　　　　　　　　3

　　① [생인나레]　　　　　② [생임나레]
　　③ [생일라레]　　　　　④ [생니라레]

4) 열 번　　　　　　　　　　　　　　　　　　　　4

　　① [열뻔]　　② [염뻔]　　③ [열펀]　　④ [연번]

問　題

2 次の日本語の意味を正しく表記したものを①～④の中から
1つ選びなさい。

(マークシートの5番～8番を使いなさい)　　〈1点×4問〉

1) 夢　　　　　　　　　　　　　　　　　　　　　5

①　꿍　　　　②　궁　　　　③　굼　　　　④　꿈

2) 地図　　　　　　　　　　　　　　　　　　　　6

①　치도　　　②　지도　　　③　찌두　　　④　치두

3) 越えてください　　　　　　　　　　　　　　　7

①　놈으세요　②　넘으세요　③　노무세요　④　너무세요

4) 付ける　　　　　　　　　　　　　　　　　　　8

①　붙이다　　②　붇이다　　③　붗이다　　④　붓이다

第54回

問 題

3 次の日本語に当たるものを①〜④の中から1つ選びなさい。
(マークシートの9番〜13番を使いなさい)　〈1点×5問〉

1）橋　　　　　　　　　　　　　　　　　　　　9

　　① 물고기　　② 거리　　③ 다리　　④ 가운데

2）影響　　　　　　　　　　　　　　　　　　10

　　① 목적　　② 결정　　③ 방향　　④ 영향

3）似ている　　　　　　　　　　　　　　　　11

　　① 비슷하다　　② 아름답다　　③ 빠르다　　④ 따뜻하다

4）時々　　　　　　　　　　　　　　　　　　12

　　① 잠시　　② 더욱　　③ 가끔　　④ 아마

5）だから　　　　　　　　　　　　　　　　　13

　　① 그러나　　② 그러면　　③ 그리고　　④ 그러니까

問　題

4 （　　　　）の中に入れるのに最も適切なものを①〜④の中から1つ選びなさい。

（マークシートの14番〜16番を使いなさい）　〈2点×3問〉

1）우리 집 （　14　）에 편의점이 생겼습니다.

　　① 옛날　　　② 맞은편　　　③ 이것저것　　④ 숟가락

2）어제 너무 바빠서 약속을 （　15　）.

　　① 일어섰습니다　　　　　　② 잃었습니다
　　③ 잊어버렸습니다　　　　　④ 얻었습니다

3）이 이야기는 다른 사람에게 말하면 （　16　） 안 됩니다.

　　① 그대로　　　② 잠깐　　　③ 절대로　　　④ 혹시

5 ( )の中に入れるのに最も適切なものを①～④の中から１つ選びなさい。

(マークシートの17番～19番を使いなさい) 〈2点×3問〉

1) A : 아, 눈에 뭐가 들어갔어요.
   B : 괜찮으세요? (　17　) 보시겠어요?

   ① 달력　　　　② 거울　　　　③ 칼　　　　④ 공

2) A : 다리는 왜 그래요? 무슨 일 있었어요?
   B : 어저께 축구를 하는 중에 (　18　)

   ① 버렸어요.　② 나눴어요.　③ 폈어요.　④ 다쳤어요.

3) A : 덥죠? 음료수 드릴까요?
   B : 됐어요. (　19　) 콜라를 마셨거든요.

   ① 역시　　　② 앞으로　　　③ 아까　　　④ 만일

問　題

6 文の意味を変えずに、下線部の言葉と置き換えが可能なものを①〜④の中から１つ選びなさい。

（マークシートの20番〜21番を使いなさい）　〈2点×2問〉

1）이번 학기에 딸이 미국 학교에 <u>입학했어요</u>.　　20

　　① 들어갔어요　② 나왔어요　③ 끊었어요　④ 바꿨어요

2）다음 주쯤에 <u>만나러 갈게요</u>.　　21

　　① 돌려줄게요　　　　② 떠날게요
　　③ 나갈게요　　　　　④ 찾아갈게요

第54回

問 題

7 下線部の動詞、形容詞の辞書形（原形・基本形）として正しいものを①～④の中から1つ選びなさい。

（マークシートの22番～26番を使いなさい）　〈1点×5問〉

1) 돈을 <u>모아서</u> 피아노를 사고 싶어요.　　22

　　① 모으다　　② 모아다　　③ 모우다　　④ 모다

2) 가방이 크네요. 안 <u>무거우세요</u>?　　23

　　① 무거우다　　② 무겁다　　③ 무것다　　④ 무거웁다

3) 영어 뉴스를 다 <u>알아들어요</u>?　　24

　　① 알아들다　　② 알아듭다　　③ 알아든다　　④ 알아듫다

4) 과일 값이 <u>올랐어요</u>.　　25

　　① 올다　　② 오르다　　③ 올라다　　④ 오라다

5) 고양이 이름을 뭐라고 <u>지을까요</u>?　　26

　　① 지다　　② 짖다　　③ 짓다　　④ 지으다

8 ( )の中に入れるのに適切なものを①～④の中から1つ選びなさい。

(マークシートの27番～30番を使いなさい)　〈2点×4問〉

1) 배가 고프면 과자(　27　) 먹어요.

　① 라도　　　② 라서　　　③ 같이　　　④ 밖에

2) 제가 지금 (　28　) 회사는 서울에 있습니다.

　① 다녔던　　② 다닌　　③ 다니는　　④ 다니러

3) A : 김 선생님도 이 일을 아세요?
　 B : 네. 제가 선생님(　29　) 말씀을 드렸어요.

　① 한테서　　② 에　　　③ 께서　　④ 께

4) A : 현수 씨는 취미가 뭐예요?
　 B : 독서예요. 매일 (　30　) 책을 읽습니다.

　① 자기 전에　　　　② 잔 끝에
　③ 잔 이상　　　　　④ 자는 사이에

9 次の場面や状況において最も適切なあいさつやあいづちなどの言葉を①～④の中から1つ選びなさい。

（マークシートの31番～32番を使いなさい）　〈1点×2問〉

1）外出するとき　　　　　　　　　　　　　　　　31

① 다녀오겠습니다.　　　　② 잘 먹겠습니다.

③ 신세 많이 졌습니다.　　④ 많이 드세요.

2）忘れていたことを思い出したとき　　　　　　32

① 뭘요.　　② 아, 맞다.　　③ 글쎄요.　　④ 그렇지요.

問　題

10 対話文を完成させるのに最も適切なものを①〜④の中から
1つ選びなさい。

（マークシートの33番〜36番を使いなさい）　〈2点×4問〉

1）A : 졸업하면 뭐 할 거예요?
　　B :（　**33**　）
　　A : 어느 나라로 갈 거예요?

　　① 아무것도 안 할 거예요.
　　② 영국에 여행을 갈 거예요.
　　③ 유학을 가려고 해요.
　　④ 저에게 맞는 직업을 모르겠어요.

2）A : 이 영화 보셨어요?
　　B :（　**34**　）
　　A : 저도 아주 재미있었어요.

　　① 네. 그런데 이해가 잘 안 됐어요.
　　② 네. DVD를 빌려서 볼 거예요.
　　③ 어떤 영화예요?
　　④ 그럼요. 제가 가장 좋아하는 영화예요.

3) A : 마유 씨, 잘 잤어요?

B : (**35**)

A : 저도 잘 자서 몸이 가볍네요.

① 네. 한 번도 안 깨고 아주 잘 잤어요.

② 아침에 겨우 잠이 들었어요.

③ 아니요, 잠이 안 왔어요.

④ 너무 더워서 여러 번 잠이 깼어요.

4) A : 주말부터 계속 날씨가 안 좋네요.

B : (**36**)

A : 좋아요. 그렇게 합시다.

① 요즘 자주 비가 와서 너무 추워요.

② 그럼 오늘은 집에서 만화라도 볼까요?

③ 정말 비가 많이 오네요.

④ 네. 그래서 오늘은 택시 타고 왔어요?

問 題

11 文章を読んで、問いに答えなさい。
（マークシートの37番〜38番を使いなさい） 〈2点×2問〉

　저는 요즘 건강에 관심이 있습니다. （ 37 ） 매일 일찍 일어나서 집 근처 공원에서 뜁니다. 처음에는 힘들었지만 이제 괜찮습니다. 이전에는 아침에 커피만 마셨지만 지금은 반드시 아침을 먹고 있습니다. 그리고 야채를 먹으려고 노력하고 있습니다.

【問1】 （ 37 ）に入れるのに適切なものを①〜④の中から1
つ選びなさい。　　　　　　　　　　　　　　　37

　① 그러나　　② 그래서　　③ 그렇지만　　④ 그러면

【問2】 本文の内容と一致するものを①〜④の中から1つ選びな
さい。　　　　　　　　　　　　　　　38

　① 지금도 달릴 때 아주 힘듭니다.
　② 저는 야채를 못 먹습니다.
　③ 저는 아침에 공원에서 운동합니다.
　④ 집 근처에 공원이 없습니다.

12 対話文を読んで、問いに答えなさい。
（マークシートの39番〜40番を使いなさい）　〈2点×2問〉

윤아 : 이번 주말에 농구 시합이 있잖아요. 우리 같이 보러 갈
　　　까요?
현민 : 좋아요. 올해는 우리 학교가 이기겠죠?
윤아 : 글쎄요. 잘 모르겠네요.
현민 : (　**39**　) 좋은 결과가 있을 거예요. 우리 학교 선수들
　　　도 잘하잖아요.

【問1】　（　**39**　）に入れるのに適切なものを①〜④の中から1
　　　　つ選びなさい。　　　　　　　　　　　　　　　　**39**

　　　① 아직 멀었죠?　　　　　② 믿어 봅시다.
　　　③ 그래도 힘이 들겠지요?　④ 아무도 모르지요.

問　題

【問2】　対話文の内容と一致するものを①〜④の中から1つ選び
なさい。　　　　　　　　　　　　　　　　　　　　　40

① 현민은 농구 선수입니다.
② 윤아 학교 농구 선수들은 시합에 졌습니다.
③ 올해 시합 결과가 나왔습니다.
④ 두 사람은 농구 시합을 함께 보러 갑니다.

解　答　　　（＊白ヌキ数字が正答番号）

聞きとり 問題と解答

　これから４級の聞きとりテストを行います。選択肢①〜④の中から解答を１つ選び、マークシートの指定された欄にマークしてください。どの問題もメモをする場合は問題冊子の空欄にしてください。マークシートにメモをしてはいけません。では始めます。

1 質問文と選択肢を２回ずつ読みます。絵を見て、【質問】に対する答えとして適切なものを①〜④の中から１つ選んでください。解答はマークシートの１番〜３番にマークしてください。次の問題に移るまでの時間は30秒です。

1 ）【質問】　이 아이는 무엇을 하고 있습니까?　　　　　　| 1 |
　　　　　→　この子供は何をしていますか？

❶ 이를 닦고 있습니다.　　→　歯を磨いています。

② 사과를 깎고 있습니다.　→　リンゴをむいています。

解　答

③ 코를 풀고 있습니다.　　→ 鼻をかんでいます。

④ 머리를 감고 있습니다.　→ 髪を洗っています。

2)【質問】　그림에 맞는 설명은 몇 번입니까?　　　　2

　　　　　→ 絵に合う説明は何番ですか?

① 눈이 오고 있어요.

　　→ 雪が降っています。

② 사람이 앉아 있어요.

　　→ 人が座っています。

❸ 바람이 불고 있어요.

　　→ 風が吹いています。

④ 창문이 없어서 밖이 안 보여요.

　　→ 窓がなくて外が見えません。

第54回　解　答

3）【質問】　그림에 맞는 설명은 몇 번입니까?　　　3

→ 絵に合う説明は何番ですか？

① 책을 읽고 있는 학생은 없어요.

→ 本を読んでいる生徒はいません。

❷ 서 있는 학생이 한 명 있어요.

→ 立っている生徒が1人います。

③ 학생들이 점심을 먹고 있어요.

→ 生徒たちが昼食を食べています。

④ 안경을 쓴 학생이 여러 명 있어요.

→ 眼鏡をかけている生徒が数人います。

Point 語幹＋고 있다「〜（し）ている」は現在進行形や繰り返しその動作を行っていることを表し、語幹＋아/어 있다は同じく「〜（し）ている」と訳されるが、状態や動作の結果の継続を表す。和訳が同じで間違いやすいため、後者の形でよく使われる表現の서 있다「立っている」、앉아 있다「座っている」、걸려 있다「掛かっている」などをまとめて覚えておくと良い。

解 答

2 短い文と選択肢を２回ずつ読みます。文の内容に合うものを
①～④の中から１つ選んでください。解答はマークシートの
４番～７番にマークしてください。次の問題に移るまでの時
間は30秒です。

1) 돈을 넣는 물건입니다.　　　　　　　　　　　[4]

→ お金を入れる物です。

① 부엌 → 台所　　　❷ 지갑 → 財布
③ 소설 → 小説　　　④ 도장 → 判子

Point 大問②は語彙力が問われる問題だが、問題・選択肢ともに聞き取る
必要があるため、単語を学習する際は表記だけでなく発音も意識し
て覚えることで対策できる。この類型の問題では動詞の現在連体形
（語幹＋는）が用いられることも多いため、動詞が現在連体形に活用
した際に起こる発音変化も意識して覚えると良い。

2) 들어가는 곳을 말합니다.　　　　　　　　　　[5]

→ 入口【直訳：入っていく場所】のことです。

① 차례 → 順序　　　② 하늘 → 空
③ 형제 → 兄弟　　　❹ 입구 → 入口

Point 곳は連体形に後続し、「ところ／場所」を表す。것「こと／もの」と間
違えやすいため留意したい。漢字語の입구「入口」を固有語で들어가
는 곳、출구「出口」を固有語で나가는 곳と言う。

第54回 解答

3) 아버지와 어머니를 말합니다.　　　　　　　　　6

　→ 父と母のことです。

❶ 부모　　→ 両親　　　　② 부인　　→ 夫人

③ 여러분　→ 皆さん　　　④ 아저씨　→ おじさん

4) 손을 씻을 때 씁니다.　　　　　　　　　　　　7

　→ 手を洗うときに使います。

① 땀　　→ 汗　　　　　② 동물　→ 動物

❸ 비누　→ 石けん　　　④ 이마　→ 額

Point 씻다は「洗う」を意味するが、日本語「洗う」に対応する動詞は세수하다「顔を洗う」、머리를 감다「髪を洗う」のように何を洗うかによって異なる場合がある。また、動詞の現在連体形は通常、語幹＋는の形を取るが、「～ (する)とき」については語幹＋ㄹ/을 때の形を取るため注意しよう。

3 問いかけなどの文を2回読みます。その応答文として適切なものを①〜④の中から1つ選んでください。解答はマークシートの8番〜12番にマークしてください。次の問題に移るまでの時間は30秒です。

1) 오늘 점심은 학생 식당에서 먹을 거예요?　　　8

　→ 今日の昼食は学食で食べるつもりですか？

解 答

① 이 귤이 달고 맛있어요.
> → このミカンは甘くておいしいです。

② 반찬은 모자라지 않아요.
> → おかずは足りなくありません。

❸ 네, 도시락을 집에 두고 왔거든요.
> → はい、お弁当を家に置いてきたんです。

④ 저는 매운 걸 좋아하거든요.
> → 私は辛い物が好きなんです。

2) 한국어 발음이 너무 어려워요. ⬜9
> → 韓国語の発音が難しすぎます。

① 누가 이 문장을 번역했어요?
> → 誰がこの文章を翻訳したんですか?

❷ 많이 연습하면 돼요.
> → たくさん練習すればいいです。

③ 언제 영어 노래를 불렀어요?
> → いつ英語の歌を歌いましたか?

④ 일본 친구하고 말이 통해서 기뻤어요.
> → 日本の友達と言葉が通じて嬉しかったです。

3) 회의는 언제 시작합니까? ⬜10
> → 会議はいつ始まりますか?

① 어제 만난 것처럼 느꼈어요.

→ 昨日会ったみたいに感じました。

② 지난번과 모양이 달라요.

→ 前回と形が違います。

③ 1년 배웠지만 잘 못합니다.

→ 1年習いましたが上手くできません。

❹ 30분 후에 여기로 모여 주세요.

→ 30分後にここに集まってください。

4） 백화점은 어느 쪽으로 가면 되지요?　　　　　　　　11

→ デパートはどっちの方に行けばいいですか?

① 시청 앞에서 외국인을 만났어요.

→ 市役所の前で外国人に会いました。

❷ 1번 출구를 나가서 왼쪽으로 가세요.

→ 1番出口を出て左に行ってください。

③ 중학교까지 자전거로 갔어요.

→ 中学校まで自転車で行きました。

④ 큰길에도 자동차가 많지 않아요.

→ 大通りにも自動車が多くありません。

5） 새집은 어떠세요?　　　　　　　　　　　　　　　12

→ 新しい家はどうですか?

解 答

❶ 좀 좁지만 마음에 들어요.

→ ちょっと狭いですが気に入っています。

② 우리 교실은 벽이 흰색이에요.

→ 私たちの教室は壁が白色です。

③ 주말이라서 거리에 사람이 많죠?

→ 週末なので通りに人が多いでしょう?

④ 여기 불을 켜면 안 돼요.

→ ここの明かりをつけてはいけません。

Point 마음은「心」、들다는「入る」を意味するが、마음에 들다の形で「気に入る、好ましく思う」という意味の慣用句になる。また、誤答④の켜다は「(火・家電製品を)つける、スイッチを入れる」を意味し、対義語の「(火・家電製品を)消す」は끄다となる。

4 文章もしくは対話文を2回読みます。その内容と一致するものを①〜④の中から1つ選んでください。解答はマークシートの13番〜17番にマークしてください。次の問題に移るまでの時間は40秒です。

1) 저는 매일 약을 세 번 먹습니다. 꼭 식사한 다음에 먹어야 합니다.　　　　13

→ 私は毎日薬を3回飲みます。必ず食後に飲まなければなりません。

❶ 薬は食事の後に飲まなければなりません。

② 薬は1日に1回飲めばよいです。

③ 薬を飲んでから食事をしなければなりません。

④ 食事をしたら薬を飲んではいけません。

Point 動詞の語幹＋ㄴ/은 다음에の形で「〜（し）た後に」を意味する。同じく4級の文法である語幹＋ㄴ/은 뒤에、語幹＋ㄴ/은 후에も同様の意味を持つため、併せて覚えておきたい。

2）오늘 한국 친구하고 그림 이야기를 했습니다. 친구가 그림을 많이 알아서 놀랐습니다.　14

→ 今日、韓国の友達と絵画の話をしました。友達が絵画をたくさん知っていてびっくりしました。

① 今日、韓国の絵画の授業を受けました。

② 韓国の友人と絵を描いて遊びました。

❸ 友達は絵についてよく知っています。

④ 友達と美術館に行きました。

Point 誤答の中では②を選択した受験者が比較的多かった。音声の놀랐습니다「驚きました」は놀라다の過去形で、誤答②の「遊びました」は놀다「遊ぶ」の過去形「놀았습니다」となる。発音が似ているため、違いを正確に押さえておきたいところだ。

3）어제 과자를 만들었습니다. 설탕을 넣어야 했지만 소금을 잘못 넣었습니다.　15

→ 昨日お菓子を作りました。砂糖を入れなければなりませんでしたが、間違えて塩を入れました。

① 昨日、料理に砂糖を入れ過ぎました。

解　答

② 昨日、塩味のお菓子を買いました。

❸ お菓子に砂糖と塩を入れ間違えました。

④ 砂糖を買おうとして塩を買ってしまいました。

4）男：마나 씨, 이 가수 노래 들어 봤어요?

　　女：그럼요. 목소리도 예쁘고 노래도 잘해요. 콘서트에도
　　　　자주 가요.

　　男：그래요? 저는 콘서트는 한 번밖에 못 갔어요. 다음에
　　　　같이 가요.　　　　　　　　　　　　　　　　16

→ 男：ミナさん、この歌手の歌聞いてみましたか？
　　女：もちろんです。声もきれいで歌もうまいです。コンサートにも
　　　　よく行きます。
　　男：そうですか？　私はコンサートは1回しか行ったことがありま
　　　　せん。今度一緒に行きましょう。

❶ 男性はコンサートに1度行ったことがあります。

② この歌手は歌がうまくありません。

③ 女性はこの歌手の歌を聞いたことがありません。

④ 二人は一緒にコンサートに行きました。

5）女：손님, 어떻게 오셨어요?

　　男：새 양복이 필요해서요. 어떤 게 좋을까요?

　　女：이건 어떠세요? 어두운 색 양복이 한 벌 있으면 좋을
　　　　겁니다.

　　男：밝은 색은 없어요?

女：여기 있습니다. 이것도 잘 어울리실 거예요.　　17

→　女：お客様、お手伝いいたしましょうか【直訳：どうしていらっしゃいましたか】?

男：新しいスーツが必要で。どんなのがいいでしょうか?

女：こちらはいかがですか?　暗い色のスーツが1着あると良いですよ。

男：明るい色はないですか?

女：こちらになります。こちらもよくお似合いになると思いますよ。

① 男性は女性と一緒に服を買いに来ました。

② 男性は黒いスーツを買うことにしました。

③ この店には明るい色のスーツはありません。

❹ 男性は新しいスーツを買おうとしています。

5 対話文を2回読みます。引き続き4つの選択肢も2回ずつ読みます。【質問】に対する答えとして適切なものを①〜④の中から1つ選んでください。解答はマークシートの18番〜20番にマークしてください。次の問題に移るまでの時間は60秒です。

1) 男：방학 때 뭐 했어요?

女：인기 많은 연극을 보러 갔어요.

男：어떤 연극이에요?

女：슬픈 사랑 이야기였어요.

男：제목이 뭐예요? 저도 보고 싶어요.

解 答

> 男：学期休みに何をしましたか?
> 女：人気のある演劇を見に行きました。
> 男：どんな演劇ですか?
> 女：悲しい愛の物語でした。
> 男：タイトルは何ですか?　私も見たいです。

【質問】　女性はどこに行きましたか。　　　　　　　18

① 노래방　→ カラオケ　　❷ 극장　→ 劇場

③ 약국　　→ 薬局　　　　④ 책방　→ 本屋

2）女：영어 숙제가 어려워요.

男：언제까지 끝내야 해요?

女：모레까지요. 모르는 단어가 너무 많아요.

男：그럼 제가 단어를 찾아 줄게요.

女：고마워요.

> 女：英語の宿題が難しいです。
> 男：いつまでに終わらせなければならないんですか?
> 女：明後日までです。知らない単語があまりにも多いです。
> 男：では、私が単語を調べてあげます。
> 女：ありがとうございます。

【質問】　男性はこの後何をするでしょうか。　　　　19

① 여자하고 같이 놀러 갈 겁니다.

> 女性と一緒に遊びに行きます。

105

② 여자에게 한국어를 가르쳐 줄 겁니다.

 → 女性に韓国語を教えてあげます。

❸ 사전으로 단어를 찾을 겁니다.

 → 辞書で単語を調べます。

④ 집에 가서 잘 겁니다.

 → 家に帰って寝ます。

Point　찾다는 5급 단어지만, 「①探す、②見つける、見つかる、③取り戻す、(お金などを)おろす、④訪ねる、⑤求める」と意味が多岐にわたる。ここでは단어를 찾다「単語を探す、単語を調べる」という意味になる。また사전을 찾다は「辞書を引く」とも訳せる。

3）男：휴가 계획을 세웠어요?

 女：아직 못 세웠어요. 민규 씨는요?

 男：우선 고향에 가서 좀 쉬려고요.

 女：며칠 정도 가실 거예요?

 男：금요일에 가서 이틀 정도 있을 생각이에요.

 女：그럼 잘 다녀오세요.

 → 男：休暇の計画は立てましたか？

  女：まだ立てることができていません。ミンギュさんは(どうですか)？

  男：まず故郷に帰って少し休むつもりです。

  女：何日くらい帰るんですか？

  男：金曜日に帰って2日間くらい居るつもりです。

  女：では、気を付けて行ってきてください。

【質問】　対話の内容と一致するものはどれですか。　　20

解 答

① 두 사람은 같이 여행을 갈 예정입니다.

　　→ 二人は一緒に旅行に行く予定です。

❷ 남자는 고향에 다녀올 생각입니다.

　　→ 男性は故郷に行ってくるつもりです。

③ 남자는 휴가 계획이 없습니다.

　　→ 男性は休暇の計画がありません。

④ 남자는 수요일에 고향에 갑니다.

　　→ 男性は水曜日に故郷に帰ります。

筆記 問題と解答

1 発音どおり表記したものを①～④の中から1つ選びなさい。

1) 콧물　→　鼻水　　　　　　　　　　　　　　　　　|1|

❶ ［콘물］　　②［콜물］　　③［콩물］　　④［콤물］

Point 콧のみを発音する場合は［콛］となり、この終声［ㄷ］が後続する물の影響で鼻音化する。鼻音化が起こる際は［ㅂ］は［ㅁ］、［ㄷ］は［ㄴ］、［ㄱ］は［ㅇ］に変化するが、各組合せの前者と後者は発音する際の口の形や舌の位置が同一である。

2) 저렇게　→　あのように　　　　　　　　　　　　　|2|

①［저러게］　　❷［저러케］　　③［저러께］　　④［저런게］

Point 激音化の問題。誤答③を選択した受験者が多かったが、パッチムㅎの後の게は［케］と発音される。ㅎとㄱ、ㄷ、ㅂ、ㅈの組み合わせは順序に関わらず激音化する。좋다「良い」は［조타］、부탁하다「頼む、お願いする」は［부타카다］と発音される。使用頻度の高い単語から発音をしっかり覚えておくと応用しやすい。

3) 생일날에　→　誕生日の日に　　　　　　　　　　|3|

①［생인나레］　　　　　　②［생임나레］

❸［생일라레］　　　　　　④［생니라레］

解 答

4）열 번 → 10回　　　　　　　　　　　　　[4]

❶［열뻔］　　②［염뻔］　　③［열펀］　　④［연번］

Point 固有語数詞여덟「やっつ」、열「とお」の後に平音で始まる助数詞など
の体言が続く場合、体言の語頭は濃音化する。他に권「冊」、벌「着(衣
服)」、병「瓶」、살「歳」、잔「杯」、장「枚」などとの組み合わせに要注意。

2 次の日本語の意味を正しく表記したものを①〜④の中から1
つ選びなさい。

1）夢　　　　　　　　　　　　　　　　　　　[5]

① 꽁　　　　② 궁　　　　③ 굼　　　❹ 꿈

2）地図　　　　　　　　　　　　　　　　　　[6]

① 치도　　　❷ 지도　　　③ 찌두　　　④ 치두

Point 誤答①を選んだ受験者が多く、平音・激音・濃音を区別してつづりを
覚えることが容易ではないことが伺える。「地図」の場合、漢字語で
あるため、個々の漢字の読み方を、覚えるヒントとするのも一つの
方法だ。「地」を含む単語は、初級単語では他に지하철「地下鉄」、지
방「地方」があり、「図」を含む単語には、도서관「図書館」がある。なお、
濃音のㅉを持つ漢字は存在しない。

3）越えてください　　　　　　　　　　7

① 놈으세요　❷ 넘으세요　③ 노무세요　④ 너무세요

4）付ける　　　　　　　　　　8

❶ 붙이다　② 분이다　③ 붖이다　④ 붓이다

Point 붙이다는 口蓋音化により［부치다］と発音される。表記と併せて覚えておきたい。같이が［가치］と発音されるのと同じ発音変化が適用されている。

3 次の日本語に当たるものを①〜④の中から1つ選びなさい。

1）橋　　　　　　　　　　9

① 물고기　→ 魚　　　　② 거리　→ 街、通り
❸ 다리　→ 橋　　　　④ 가운데　→ まん中

Point 다리はここでは「橋」を意味するが、「足（脚）」という意味もある。また、足首から下は발と表現するため留意したい。

2）影響　　　　　　　　　　10

① 목적　→ 目的　　　　② 결정　→ 決定
③ 방향　→ 方向　　　　❹ 영향　→ 影響

解 答

3）似ている　　　　　　　　　　　　　　　　　11

❶ 비슷하다　→ 似ている　② 아름답다　→ 美しい
③ 빠르다　　→ 速い　　　④ 따뜻하다　→ 暖かい

4）時々　　　　　　　　　　　　　　　　　　12

① 잠시　→ しばらく　② 더욱　→ もっと、一層
❸ 가끔　→ 時々　　　④ 아마　→ 多分

5）だから　　　　　　　　　　　　　　　　　13

① 그러나　→ しかし　　② 그러면　→ それでは
③ 그리고　→ そして　　❹ 그러니까　→ だから

4 （　　　）の中に入れるのに最も適切なものを①〜④の中から
1つ選びなさい。

1）우리 집（　14　）에 편의점이 생겼습니다.
　→ 我が家の（　14　）にコンビニができました。

① 옛날　　　→ 昔　　　　❷ 맞은편　→ 向かい側
③ 이것저것　→ あれこれ　④ 숟가락　→ スプーン

2）어제 너무 바빠서 약속을 （　15　）.

→ 昨日、とても忙しくて約束を（　15　）。

① 일어섰습니다　　→ 立ち上がりました

② 잃었습니다　　　→ 失いました

❸ 잊어버렸습니다　→ 忘れてしまいました

④ 얻었습니다　　　→ 得ました

3）이 이야기는 다른 사람에게 말하면 （　16　） 안 됩니다.

→ この話は他の人に言っては（　16　）いけません。

① 그대로　→ そのまま　　　② 잠깐　→ しばらくの間

❸ 절대로　→ 絶対に　　　　④ 혹시　→ もしかしたら

5　（　　　　）の中に入れるのに最も適切なものを①〜④の中から
　　1つ選びなさい。

1）A：아, 눈에 뭐가 들어갔어요.

　　B：괜찮으세요? （　17　） 보시겠어요?

→ A：あ、目に何か入りました。
　　B：大丈夫ですか？　（　17　）ご覧になりますか？

① 달력　→ カレンダー　　　　❷ 거울　→ 鏡

解 答

③ 칼 → ナイフ   ④ 공 → ボール

2) A : 다리는 왜 그래요? 무슨 일 있었어요?

B : 어저께 축구를 하는 중에 (　18　)

→ A : 脚はどうしたんですか？　何かあったんですか？
B : 昨日、サッカーをしている最中に(　18　)

① 버렸어요. → 捨てました。

② 나눴어요. → 分けました。

③ 폈어요. → 開きました。

❹ 다쳤어요. → 怪我しました。

Point 選択肢の辞書形は버리다、나누다、펴다、다치다である。特に폈어요は펴다「①広げる、開く、②伸ばす、③敷く」と피다「①咲く、②生える、③(火が)おこる」の二通りの可能性があるため、文脈で判断する必要がある。책을 펴다「本を開く」、꽃이 피다「花が咲く」など共起する頻度の高い名詞と併せて覚えると良い。

3) A : 덥죠? 음료수 드릴까요?

B : 됐어요. (　19　) 콜라를 마셨거든요.

→ A : 暑いでしょう？　飲み物差し上げましょうか？
B : 結構です。(　19　)コーラを飲んだんですよ。

① 역시 → やはり   ② 앞으로 → 今後

❸ 아까 → さっき   ④ 만일 → 万一

第54回 解答

---

6 文の意味を変えずに、下線部の言葉と置き換えが可能なもの
を①〜④の中から1つ選びなさい。

1) 이번 학기에 딸이 미국 학교에 <u>입학했어요</u>.　　　**20**
→ 今学期、娘がアメリカの学校に<u>入学しました</u>。

❶ 들어갔어요　→ 入りました　② 나왔어요　→ 出ました

③ 끊었어요　　→ 切りました　④ 바꿨어요　→ 変えました

2) 다음 주쯤에 <u>만나러 갈게요</u>.　　　**21**
→ 来週くらいに<u>会いに行きます</u>。

① 돌려줄게요　→ 返します

② 떠날게요　　→ 出発します

③ 나갈게요　　→ 出かけます

❹ 찾아갈게요　→ 会いに行きます

Point 選択肢の辞書形は돌려주다、떠나다、나가다、찾아가다となる。찾아
가다は「会いに行く、訪ねていく」、찾아오다は「会いに来る、訪ねて
くる」を意味し、만나다「会う」や만나러 가다/오다「会いに行く／来
る」と置き換えて用いることができる。

解　答

7 下線部の動詞、形容詞の辞書形（原形・基本形）として正しい
ものを①〜④の中から１つ選びなさい。

1) 돈을 <u>모아서</u> 피아노를 사고 싶어요. 　　　　　22

→ お金を<u>貯めて</u>ピアノを買いたいです。

❶ 모으다 　　② 모아다 　　③ 모우다 　　④ 모다

Point 모으다「集める」は으語幹の用言で、모아서「集めて」、모아요「集めま
す」、모았어요「集めました」のように活用する。돈을 모으다の形で
「お金を貯める、貯金する」を意味する。

2) 가방이 크네요. 안 <u>무거우세요</u>? 　　　　　23

→ カバンが大きいですね。<u>重</u>(くな)いですか?

① 무거우다 　**❷** 무겁다 　③ 무것다 　④ 무거웁다

Point ㅂ変格の用言。ㅂ変格用言の語幹に‐(으)세요が後続すると、語幹
のㅂパッチムが脱落し、‐우세요がつく。初級単語で語幹にㅂパッ
チムを持つ形容詞は概ね変格活用するが、좁다「狭い」は該当せず、
좁으세요と活用するため留意したい。

3) 영어 뉴스를 다 <u>알아들어요</u>? 　　　　　24

→ 英語のニュースを<u>全部聞き取れ</u>ますか?

① 알아들다 　② 알아듭다 　③ 알아든다 　**❹** 알아듣다

Point ㄷ変格の用言。걷다「歩く」、듣다「聞く」、묻다「尋ねる、問う」と併せ
て覚えておきたい。

4
級

第
54
回

筆記　問題と解答

115

第54回 解 答

4） 과일 값이 <u>올랐어요</u>. `25`

→ 果物の値段が<u>あがりました</u>。

① 올다　　　❷ 오르다　　　③ 올라다　　　④ 오라다

Point 르変格の用言。他に 5 ～ 4 級単語には르変格の用言は모르다「知らない、わからない」、부르다「①歌う、呼ぶ、②（おなかが）いっぱいだ」、빠르다「速い」、흐르다「流れる」がある。

5） 고양이 이름을 뭐라고 <u>지을까요</u>? `26`

→ 猫の名前を何と<u>付けましょうか</u>?

① 지다　　　② 짖다　　　❸ 짓다　　　④ 지으다

Point ㅅ変格の用言。主要な目的語とセットで覚えておくと良い。이름을 짓다は「名前を付ける」、글을 짓다は「文章を書く」、집을 짓다は「家を建てる」、밥을 짓다は「ご飯を炊く」。また、ㅅ変格に該当する4級の動詞は짓다以外に낫다（治る）があるため、併せて覚えておきたい。

8 （　　　）の中に入れるのに適切なものを①～④の中から1つ選びなさい。

1） 배가 고프면 과자（ `27` ） 먹어요.

→ お腹がすいていたらお菓子（ `27` ）食べてください。

❶ 라도　→ でも　　　　　　② 라서　→ だから

解 答

③ 같이 → のように ④ 밖에 → しか

2) 제가 지금 (　28　) 회사는 서울에 있습니다.
→ 私が今(　28　)会社はソウルにあります。

① 다녔던 → 通っていた ② 다닌 → 通った

❸ 다니는 → 通っている ④ 다니러 → 通いに

Point 誤答②を選んだ受験者が多かったが、②は過去連体形である。지금「今」があるため、現在連体形の③が正答となる。語幹に-는をつける動詞の現在連体形は、見た目だけで動詞であると判別できるが、語幹に-ㄴ/은をつける動詞の過去連体形は、形容詞の現在連体形と同じ形となり品詞を区別しにくいため要注意。

3) A : 김 선생님도 이 일을 아세요?
B : 네. 제가 선생님(　29　) 말씀을 드렸어요.
→ A : キム先生もこのことをご存じですか?
B : はい。私が先生(　29　)申し上げました。

① 한테서 → から ② 에 → に(時間・場所など)

③ 께서 → が(尊敬) ❹ 께 → に(尊敬)

Point 尊敬を表す助詞は難易度が高いため、まとめて覚えておきたい。-가/이「～が」と対応するのは-께서、-는/은「～は」に対応するのは-께서는、-에게/한테「～に」に対応するのは-께となる。

4) A : 현수 씨는 취미가 뭐예요?
B : 독서예요. 매일 (　30　) 책을 읽습니다.

第54回　解答

→ 　A：ヒョンスさんは趣味は何ですか？
　　B：読書です。毎日(　**30**　)本を読みます。

❶ 자기 전에　　→ 寝る前に　　② 잔 끝에　　　　→ 寝た末に

③ 잔 이상　　→ 寝た以上　　④ 자는 사이에　→ 寝る間に

Point　「語幹」＋「-기 전에」の形で「〜(する)前に」を意味する。4級文法には動作の前後関係を示す表現が多くあるが、전「前」、끝「終わり／末」、이상「以上」、사이「間」、뒤「後／後ろ」、다음「次」、후「後」など名詞の意味を把握していれば理解できる表現が多い。

---

9 次の場面や状況において最も適切なあいさつやあいづちなどの言葉を①〜④の中から1つ選びなさい。

1）外出するとき　　　　　　　　　　　　　　　　　　　31

❶ 다녀오겠습니다.　　　　→ 行ってきます。

② 잘 먹겠습니다.　　　　　→ いただきます。

③ 신세 많이 졌습니다.　→ 大変お世話になりました。

④ 많이 드세요.　　　　　　→ たくさん召し上がってください。

2）忘れていたことを思い出したとき　　　　　　　　　32

① 뭘요.　　　→ とんでもないです。

❷ 아, 맞다.　→ あ、そうだ。

解 答

③ 글쎄요.　　→ さあ…。

④ 그렇지요.　→ そうですよ。

10 対話文を完成させるのに最も適切なものを①〜④の中から1つ選びなさい。

1) A：졸업하면 뭐 할 거예요?

　　B：(　**33**　)

　　A：어느 나라로 갈 거예요?

→ A：卒業したら何をするつもりですか?

　　B：(　**33**　)

　　A：どこの国に行くつもりですか?

① 아무것도 안 할 거예요.

　　→ 何もしないつもりです。

② 영국에 여행을 갈 거예요.

　　→ イギリスに旅行に行くつもりです。

❸ 유학을 가려고 해요.

　　→ 留学しようと思います。

④ 저에게 맞는 직업을 모르겠어요.

　　→ 私に合う職業が分かりません。

Point 誤答の中では②を選択した受験者が比較的多かった。(33)に対して「どの国に行くつもりですか」と尋ねているため、具体的に「イギリス」と国名を挙げている②は会話が成立していない。

2）A：이 영화 보셨어요?

　　B：(　**34**　)

　　A：저도 아주 재미있었어요.

　→　A：この映画、ご覧になりましたか？

　　　B：(　**34**　)

　　　A：私もとても面白かったです。

①　네. 그런데 이해가 잘 안 됐어요.

　　→　はい。でも、あまり理解できませんでした。

②　네. DVD를 빌려서 볼 거예요.

　　→　はい。DVDを借りて見るつもりです。

③　어떤 영화예요?

　　→　どんな映画ですか？

❹　그럼요. 제가 가장 좋아하는 영화예요.

　　→　もちろんです。私が一番好きな映画です。

3）A：마유 씨, 잘 잤어요?

　　B：(　**35**　)

　　A：저도 잘 자서 몸이 가볍네요.

　→　A：マユさん、よく眠れましたか？

　　　B：(　**35**　)

　　　A：私もよく寝たので体が軽いですよ。

❶　네, 한 번도 안 깨고 아주 잘 잤어요.

　　→　はい、一度も目が覚めずにとてもよく寝ました。

解 答

② 아침에 겨우 잠 들었어요.

→ 朝、ようやく眠りにつきました。

③ 아니요, 잠이 안 왔어요.

→ いいえ、寝つけませんでした。

④ 너무 더워서 여러 번 잠이 깼어요.

→ あまりにも暑くて何度も目が覚めました。

4）A：주말부터 계속 날씨가 안 좋네요.

B：(　36　)

A：좋아요. 그렇게 합시다.

→ A：週末からずっと天気が良くないですね。

　　B：(　36　)

　　A：いいですよ。そうしましょう。

① 요즘 자주 비가 와서 너무 추워요.

→ 最近頻繁に雨が降ってとても寒いです。

❷ 그럼 오늘은 집에서 만화라도 볼까요?

→ それでは今日は家で漫画でも見ましょうか?

③ 정말 비가 많이 오네요.

→ 本当に雨がたくさん降りますね。

④ 네. 그래서 오늘은 택시 타고 왔어요?

→ はい。だから今日はタクシーに乗ってきましたか?

11 文章を読んで、問いに答えなさい。

　저는 요즘 건강에 관심이 있습니다. (　37　) 매일 일찍 일어나서 집 근처 공원에서 뜁니다. 처음에는 힘들었지만 이제 괜찮습니다. 이전에는 아침에 커피만 마셨지만 지금은 반드시 아침을 먹고 있습니다. 그리고 야채를 먹으려고 노력하고 있습니다.

【日本語訳】

　私は最近健康に関心があります。(　37　) 毎日早く起きて家の近所の公園で走ります。最初はつらかったですが、もう大丈夫です。以前は朝、コーヒーだけ飲みましたが、今は必ず朝食を食べています。そして野菜を食べようと努力しています。

【問1】（　37　）に入れるのに適切なものを①〜④の中から1つ選びなさい。　　　　　37

　　① 그러나　→ しかし　　❷ 그래서　→ それで
　　③ 그렇지만 → だけど　　④ 그러면　→ それでは

【問2】本文の内容と一致するものを①〜④の中から1つ選びなさい　　　　　38

解　答

① 지금도 달릴 때 아주 힘듭니다.

→ 今も走る時とてもつらいです。

② 저는 야채를 못 먹습니다.

→ 私は野菜が食べられません。

❸ 저는 아침에 공원에서 운동합니다.

→ 私は朝、公園で運動します。

④ 집 근처에 공원이 없습니다.

→ 家の近所に公園がありません。

12 対話文を読んで、問いに答えなさい。

윤아 : 이번 주말에 농구 시합이 있잖아요. 우리 같이 보러 갈
　　　까요?

현민 : 좋아요. 올해는 우리 학교가 이기겠죠?

윤아 : 글쎄요. 잘 모르겠네요.

현민 : (　39　) 좋은 결과가 있을 거예요. 우리 학교 선수들
　　　도 잘하잖아요.

【日本語訳】

ユ　　　　ナ : 今週末にバスケットボールの試合があるじゃないで
　　　　　　　すか。一緒に見に行きましょうか?

ヒョンミン : いいですよ。今年はうちの学校が勝つでしょうね?

ユ　　　　ナ : さあ。よく分かりません。

ヒョンミン：（　39　）良い結果があるでしょう。うちの学校の
　　　　　　選手たちもうまいじゃないですか。

【問１】　（　39　）に入れるのに適切なものを①～④の中から１
　　　　つ選びなさい。　　　　　　　　　　　　　　　　　39

① 아직 멀었죠?
　→ まだまだですよね?

❷ 믿어 봅시다.
　→ 信じてみましょう。

③ 그래도 힘이 들겠지요?
　→ それでも大変でしょうね?

④ 아무도 모르지요.
　→ 誰にも分かりませんよ。

Point 文末の－지요やその短縮形－죠は、会話によく用いられる。対話文３
行目と選択肢①と③の－지요?は、「～でしょう?」と同意を求めた
り、話し手の考えを聞き手に確認したりするニュアンスである。疑
問文でない選択肢④は、「～ですよ、～ますよ」と、相手に同意したり、
自分の考えを相手にやわらかく伝えるニュアンスである。

【問２】　対話文の内容と一致するものを①～④の中から１つ選び
　　　　なさい。　　　　　　　　　　　　　　　　　　　40

① 현민은 농구 선수입니다.
　→ ヒョンミンはバスケットボールの選手です。

解　答

---

② 윤아 학교 농구 선수들은 시합에 졌습니다.

　→ ユナの学校のバスケットボールの選手たちは試合に負けました。

③ 올해 시합 결과가 나왔습니다.

　→ 今年の試合結果が出ました。

❹ 두 사람은 농구 시합을 함께 보러 갑니다.

　→ 二人はバスケットボールの試合を一緒に見に行きます。

4級聞きとり 正答と配点

●40点満点

問題	設問	マークシート番号	正　答	配　点
1	1)	1	①	2
	2)	2	③	2
	3)	3	②	2
2	1)	4	②	2
	2)	5	④	2
	3)	6	①	2
	4)	7	③	2
3	1)	8	③	2
	2)	9	②	2
	3)	10	④	2
	4)	11	②	2
	5)	12	①	2
4	1)	13	①	2
	2)	14	③	2
	3)	15	③	2
	4)	16	①	2
	5)	17	④	2
5	1)	18	②	2
	2)	19	③	2
	3)	20	②	2
合　計				40

4級筆記　正答と配点

●60点満点

問題	設問	マークシート番号	正答	配点
1	1)	1	①	1
	2)	2	②	1
	3)	3	③	1
	4)	4	①	1
2	1)	5	④	1
	2)	6	②	1
	3)	7	②	1
	4)	8	①	1
3	1)	9	③	1
	2)	10	④	1
	3)	11	①	1
	4)	12	③	1
	5)	13	④	1
4	1)	14	②	2
	2)	15	③	2
	3)	16	③	2
5	1)	17	②	2
	2)	18	④	2
	3)	19	③	2
6	1)	20	①	2
	2)	21	④	2

問題	設問	マークシート番号	正答	配点
7	1)	22	①	1
	2)	23	②	1
	3)	24	④	1
	4)	25	②	1
	5)	26	③	1
8	1)	27	①	2
	2)	28	③	2
	3)	29	④	2
	4)	30	①	2
9	1)	31	①	1
	2)	32	②	1
10	1)	33	③	2
	2)	34	④	2
	3)	35	①	2
	4)	36	②	2
11	問1	37	②	2
	問2	38	③	2
12	問1	39	②	2
	問2	40	④	2
合　計				60

반절표(反切表)

	[1] 　ㅏ[a]	[2] 　ㅑ[ja]	[3] 　ㅓ[ɔ]	[4] 　ㅕ[jɔ]	[5] 　ㅗ[o]	[6] 　ㅛ[jo]	[7] 　ㅜ[u]	[8] 　ㅠ[ju]	[9] 　ㅡ[ɯ]	[10] 　ㅣ[i]
【1】 ㄱ [k/g]	가	갸	거	겨	고	교	구	규	그	기
【2】 ㄴ [n]	나	냐	너	녀	노	뇨	누	뉴	느	니
【3】 ㄷ [t/d]	다	댜	더	뎌	도	됴	두	듀	드	디
【4】 ㄹ [r/l]	라	랴	러	려	로	료	루	류	르	리
【5】 ㅁ [m]	마	먀	머	며	모	묘	무	뮤	므	미
【6】 ㅂ [p/b]	바	뱌	버	벼	보	뵤	부	뷰	브	비
【7】 ㅅ [s/ʃ]	사	샤	서	셔	소	쇼	수	슈	스	시
【8】 ㅇ [無音/ŋ]	아	야	어	여	오	요	우	유	으	이
【9】 ㅈ [tʃ/dʒ]	자	쟈	저	져	조	죠	주	쥬	즈	지
【10】 ㅊ [tʃʰ]	차	챠	처	쳐	초	쵸	추	츄	츠	치
【11】 ㅋ [kʰ]	카	캬	커	켜	코	쿄	쿠	큐	크	키
【12】 ㅌ [tʰ]	타	탸	터	텨	토	툐	투	튜	트	티
【13】 ㅍ [pʰ]	파	퍄	퍼	펴	포	표	푸	퓨	프	피
【14】 ㅎ [h]	하	햐	허	혀	호	효	후	휴	흐	히
【15】 ㄲ [ˀk]	까	꺄	꺼	껴	꼬	꾜	꾸	뀨	끄	끼
【16】 ㄸ [ˀt]	따	땨	떠	뗘	또	뚀	뚜	뜌	뜨	띠
【17】 ㅃ [ˀp]	빠	뺘	뻐	뼈	뽀	뾰	뿌	쀼	쁘	삐
【18】 ㅆ [ˀs]	싸	쌰	써	쎠	쏘	쑈	쑤	쓔	쓰	씨
【19】 ㅉ [ˀtʃ]	짜	쨔	쩌	쪄	쪼	쬬	쭈	쮸	쯔	찌

【11】	【12】	【13】	【14】	【15】	【16】	【17】	【18】	【19】	【20】	【21】
ㅐ [ɛ]	ㅒ [jɛ]	ㅔ [e]	ㅖ [je]	ㅘ [wa]	ㅙ [wɛ]	ㅚ [we]	ㅝ [wɔ]	ㅞ [we]	ㅟ [wi]	ㅢ [ɯi]
개	걔	게	계	과	괘	괴	궈	궤	귀	긔
내	냬	네	녜	놔	놰	뇌	눠	눼	뉘	늬
대	댸	데	뎨	돠	돼	되	둬	뒈	뒤	듸
래	럐	레	례	롸	뢔	뢰	뤄	뤠	뤼	릐
매	먜	메	몌	뫄	뫠	뫼	뭐	뭬	뮈	믜
배	뱨	베	볘	봐	봬	뵈	붜	붸	뷔	븨
새	섀	세	셰	솨	쇄	쇠	쉬	쉐	쉬	싀
애	얘	에	예	와	왜	외	워	웨	위	의
재	쟤	제	졔	좌	좨	죄	줘	줴	쥐	즤
채	챼	체	쳬	촤	쵀	최	춰	췌	취	츼
캐	걔	케	켸	콰	쾌	괴	쿼	퀘	퀴	킈
태	턔	테	톄	톼	퇘	퇴	퉈	퉤	튀	틔
패	퍠	페	폐	퐈	퐤	푀	풔	풰	퓌	픠
해	햬	헤	혜	화	홰	회	훠	훼	휘	희
깨	꺠	께	꼐	꽈	꽤	꾀	꿔	꿰	뀌	끠
때	떄	떼	뗴	똬	뙈	뙤	뚸	뛔	뛰	띄
빼	뺴	뻬	뼤	뽜	뽸	뾔	뿨	쀄	쀠	쁴
쌔	썌	쎄	쎼	쏴	쐐	쐬	쒀	쒜	쒸	씌
째	쨰	쩨	쪠	쫘	쫴	쬐	쭤	쮀	쮜	쯰

129

かな文字のハングル表記
（大韓民国方式）

【かな】	【ハングル】									
	＜語頭＞					＜語中＞				
あ い う え お	아	이	우	에	오	아	이	우	에	오
か き く け こ	가	기	구	게	고	카	키	쿠	케	코
さ し す せ そ	사	시	스	세	소	사	시	스	세	소
た ち つ て と	다	지	쓰	데	도	타	치	쓰	테	토
な に ぬ ね の	나	니	누	네	노	나	니	누	네	노
は ひ ふ へ ほ	하	히	후	헤	호	하	히	후	헤	호
ま み む め も	마	미	무	메	모	마	미	무	메	모
や ゆ よ	야	유	요			야	유	요		
ら り る れ ろ	라	리	루	레	로	라	리	루	레	로
わ を	와	오				와	오			
が ぎ ぐ げ ご	가	기	구	게	고	가	기	구	게	고
ざ じ ず ぜ ぞ	자	지	즈	제	조	자	지	즈	제	조
だ ぢ づ で ど	다	지	즈	데	도	다	지	즈	데	도
ば び ぶ べ ぼ	바	비	부	베	보	바	비	부	베	보
ぱ ぴ ぷ ぺ ぽ	파	피	푸	페	포	파	피	푸	페	포
きゃ きゅ きょ	갸	규	교			캬	큐	쿄		
しゃ しゅ しょ	샤	슈	쇼			샤	슈	쇼		
ちゃ ちゅ ちょ	자	주	조			차	추	초		
にゃ にゅ にょ	냐	뉴	뇨			냐	뉴	뇨		
ひゃ ひゅ ひょ	햐	휴	효			햐	휴	효		
みゃ みゅ みょ	먀	뮤	묘			먀	뮤	묘		
りゃ りゅ りょ	랴	류	료			랴	류	료		
ぎゃ ぎゅ ぎょ	갸	규	교			갸	규	교		
じゃ じゅ じょ	자	주	조			자	주	조		
びゃ びゅ びょ	뱌	뷰	뵤			뱌	뷰	뵤		
ぴゃ ぴゅ ぴょ	퍄	퓨	표			퍄	퓨	표		

撥音の「ん」と促音の「っ」はそれぞれパッチムのㄴ、ㅅで表す。
長母音は表記しない。タ行、ザ行、ダ行に注意。

かな文字のハングル表記
（朝鮮民主主義人民共和国方式）

【かな】	【ハングル】									
	＜語頭＞					＜語中＞				
あ い う え お	아	이	우	에	오	아	이	우	에	오
か き く け こ	가	기	구	게	고	까	끼	꾸	께	꼬
さ し す せ そ	사	시	스	세	소	사	시	스	세	소
た ち つ て と	다	지	쯔	데	도	따	찌	쯔	떼	또
な に ぬ ね の	나	니	누	네	노	나	니	누	네	노
は ひ ふ へ ほ	하	히	후	헤	호	하	히	후	헤	호
ま み む め も	마	미	무	메	모	마	미	무	메	모
や ゆ よ	야		유		요	야		유		요
ら り る れ ろ	라	리	루	레	로	라	리	루	레	로
わ を	와				오	와				오
が ぎ ぐ げ ご	가	기	구	게	고	가	기	구	게	고
ざ じ ず ぜ ぞ	자	지	즈	제	조	자	지	즈	제	조
だ ぢ づ で ど	다	지	즈	데	도	다	지	즈	데	도
ば び ぶ べ ぼ	바	비	부	베	보	바	비	부	베	보
ぱ ぴ ぷ ぺ ぽ	빠	삐	뿌	뻬	뽀	빠	삐	뿌	뻬	뽀
きゃ きゅ きょ	갸		규		교	꺄		뀨		꾜
しゃ しゅ しょ	샤		슈		쇼	샤		슈		쇼
ちゃ ちゅ ちょ	쟈		쥬		죠	쨔		쮸		쬬
にゃ にゅ にょ	냐		뉴		뇨	냐		뉴		뇨
ひゃ ひゅ ひょ	햐		휴		효	햐		휴		효
みゃ みゅ みょ	먀		뮤		묘	먀		뮤		묘
りゃ りゅ りょ	랴		류		료	랴		류		료
ぎゃ ぎゅ ぎょ	갸		규		교	갸		규		교
じゃ じゅ じょ	쟈		쥬		죠	쟈		쥬		죠
びゃ びゅ びょ	뱌		뷰		뵤	뱌		뷰		뵤
ぴゃ ぴゅ ぴょ	뺘		쀼		뾰	뺘		쀼		뾰

撥音の「ん」は語末と母音の前では○パッチム、それ以外ではㄴパッチムで表す。
促音の「っ」は、か行の前ではㄱパッチム、それ以外ではㅅパッチムで表す。
長母音は表記しない。タ行、ザ行、ダ行に注意。

「ハングル」能力検定試験

資 料

2020年秋季　第54回検定試験状況

●試験の配点と平均点・最高点

級	配点（100点満点中）			全国平均点			全国最高点		
	聞・書	筆記	合格点（以上）	聞・書	筆記	合計	聞・書	筆記	合計
1級	40	60	70	22	32	54	35	49	81
2級	40	60	70	27	38	65	40	60	97
準2級	40	60	70	28	41	69	40	60	100
3級	40	60	60	27	45	72	40	60	100
4級	40	60	60	30	46	76	40	60	100
5級	40	60	60	31	48	79	40	60	100

●出願者・受験者・合格者数など

	出願者数（人）	受験者数（人）	合格者数（人）	合格率	累計（1回〜54回）		
					出願者数	受験者数	合格者数
1級	117	110	17	15.5%	4,806	4,392	513
2級	619	532	228	42.9%	24,728	22,088	3,261
準2級	1,721	1,514	833	55.0%	59,868	54,015	17,747
3級	3,415	2,981	2,390	80.2%	111,287	99,127	53,433
4級	3,877	3,461	2,957	85.4%	131,398	116,742	85,345
5級	4,023	3,578	3,165	88.5%	118,502	105,465	84,994
合計	13,772	12,176	9,590	78.8%	451,532	402,701	245,379

※累計の各合計数には第18回〜第25回までの準1級出願者、受験者、合格者数が含まれます。

■年代別出願者数

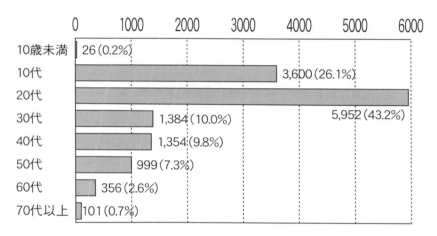

10歳未満	26 (0.2%)
10代	3,600 (26.1%)
20代	5,952 (43.2%)
30代	1,384 (10.0%)
40代	1,354 (9.8%)
50代	999 (7.3%)
60代	356 (2.6%)
70代以上	101 (0.7%)

■職業別出願者数

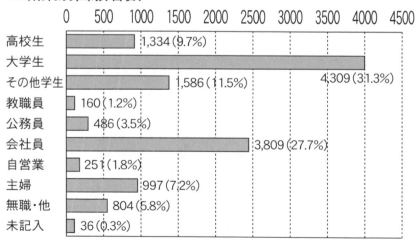

高校生	1,334 (9.7%)
大学生	4,309 (31.3%)
その他学生	1,586 (11.5%)
教職員	160 (1.2%)
公務員	486 (3.5%)
会社員	3,809 (27.7%)
自営業	251 (1.8%)
主婦	997 (7.2%)
無職・他	804 (5.8%)
未記入	36 (0.3%)

秋季第54回 試験会場一覧

〈東日本〉

受験地	第54回会場
札　幌	北海商科大学
盛　岡	アイーナ いわて県民情報交流センター
仙　台	ショーケー本館ビル
秋　田	秋田県社会福祉会館
茨　城	筑波国際アカデミー／茨城県県南生涯学習センター
宇都宮	国際ＴＢＣ高等専修学校
埼　玉	獨協大学
千　葉	敬愛大学
東京Ａ	フォーラムエイト
東京Ｂ	東京学芸大学（小金井キャンパス）
神奈川	横浜市金沢産業支援センター／横浜研修センター
新　潟	駅南貸会議室ＫＥＮＴＯ
富　山	富山県立伏木高等学校
石　川	金沢勤労者プラザ
長　野	長野朝鮮初中級学校
静　岡	静岡学園早慶セミナー
浜　松	浜松労政会館

秋季第54回 試験会場一覧

〈西日本〉

受験地	第54回会場
名古屋	IMYビル
四日市	四日市朝鮮初中級学校
京　都	西陣織会館
大　阪	ＴＫＰ新大阪（３会場）
神　戸	兵庫県教育会館／神戸市教育会館
鳥　取	鳥取市福祉文化会館
岡　山	岡山朝鮮初中級学校
広　島	広島ＹＭＣＡ国際文化センター
香　川	アイパル香川
愛　媛	松山大学（文京キャンパス）
福　岡	リファレンス駅東ビル
北九州	北九州市立八幡東生涯学習センター
佐　賀	メートプラザ佐賀
熊　本	熊本市国際交流会館
鹿児島	鹿児島県青少年会館
沖　縄	インターナショナルデザインアカデミー

◆千葉、東京A、B、神奈川、大阪会場の４、５級をIBT受験に切り替えました。
◆準会場での試験実施は42ヶ所となりました。
　皆様のご協力に心より感謝いたします。

1級2次試験会場一覧

※1級1次試験合格者対象

受験地	第54回会場
	オンライン面接

●合格ラインと出題項目一覧について

◇合格ライン

	聞きとり		筆記		合格点
	配点	必須得点（以上）	配点	必須得点（以上）	100点満点中（以上）
5級	40		60		60
4級	40		60		60
3級	40	12	60	24	60
準2級	40	12	60	30	70
2級	40	16	60	30	70

	聞きとり・書きとり		筆記・記述式		
	配点	必須得点（以上）	配点	必須得点（以上）	
1級	40	16	60	30	70

◆解答は、5級から2級まではすべてマークシート方式です。
　1級は、マークシートと記述による解答方式です。

◆5、4級は合格点（60点）に達していても、聞きとり試験を受けていないと不合格になります。

◇出題項目一覧

		初　　　級		中　　　級		上　　　級	
		5級	4級	3級	準2級	2級	1級
学習時間の目安		40時間	80	160	240～300	—	—
発音と文字						＊	＊
正書法							
語彙							
	擬声擬態語			＊	＊		
	接辞、依存名詞						
	漢字						
文法項目と慣用表現							
連語							
四字熟語					＊		
慣用句							
ことわざ							
縮約形など							
表現の意図							
理解と産出 テクストの	内容理解						
	接続表現	＊	＊				
	指示詞	＊	＊				

※灰色部分が、各級の主な出題項目です。
　「＊」の部分は、個別の単語として取り扱われる場合があることを意味します。

◎ 資格取得のチャンスは1年間に2回！ ◎
「ハングル」検定
◆南北いずれの正書法（綴り）も認めています◆

◎春季　6月　第1日曜日　（1級は2次試験有り、東京・大阪にて実施）
◎秋季　11月　第2日曜日　（1級は2次試験有り、東京・大阪・福岡にて実施）
　※1級2次試験日は1次試験日から3週間後の実施となります。

● **試験会場**　協会ホームページからお申し込み可能です。コンビニ決済、クレジット
　　　　　　カード決済のご利用が可能です。

札幌・盛岡・仙台・秋田・茨城・宇都宮・群馬・埼玉・千葉・東京A・東京B・神奈川	
新潟・富山・石川・長野・静岡・浜松・名古屋・四日市・京都・大阪・神戸・鳥取	
岡山・広島・香川・愛媛・福岡・北九州・佐賀・熊本・大分・鹿児島・沖縄	

● **準会場**
　◇学校、企業など、団体独自の施設内で試験を実施できます（延10名以上）。
　◇高等学校以下（小、中学校も含む）の学校等で、準会場を開設する場合、「準会場学
　　生割引受験料」を適用します（10名から適用・30％割引）。
　　詳しくは「受験案内（願書付き）」、または協会ホームページをご覧ください。

● **願書入手**
　◇願書は全国主要書店にて無料で入手できます。
　◇協会ホームページからダウンロード可、又は「願書請求フォーム」からお申し込
　　みください。

■ **受験資格**
　国籍、年齢、学歴などの制限はありません。

■ **試験級**
　1級・2級・準2級・3級・4級・5級（隣接級との併願可）

■ **検定料**

1級	10,000円	2級	6,800円	準2級	5,800円
3級	4,800円	4級	3,700円	5級	3,200円

　◇検定料のグループ割引有（延10名以上で10％割引）

検定試験の最新情報は、公式ホームページでご確認ください。
公式SNSでも随時お知らせしています。

詳細はこちら　　　　ハングル検定　　🔍 検索

協会発行書籍案内　협회 발간 서적 안내

「ハングル」検定公式テキスト
ペウギ 準2級/3級/4級/5級

ハン検公式テキスト。これで合格を
目指す！　暗記用赤シート付。
準2級/2,970円（税込）※CD付き
3級/2,750円（税込）
5級、4級/各2,420円（税込）
※A5版、音声ペン対応

新装版　合格トウミ
初級編 / 中級編 / 上級編

レベル別に出題語彙、慣用句、慣用表現
等をまとめた受験者必携の一冊。
暗記用赤シート付。
初級編/1,760円（税込）
中級編、上級編/2,420円（税込）
※A5版、音声ペン対応

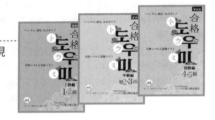

中級以上の方のためのリスニング BOOK
読む・書く「ハン検」

長文をたくさん読んで「読む力」を鍛える！
1,980円（税込）
※A5版、音声ペン対応
別売CD/1,650円（税込）

2021年版
ハン検 過去問題集（ＣＤ付）

年度別に試験問題を収録した過去問題集。
学習に役立つワンポイントアドバイス付！
上級（1、2級）/2,200円（税込）
中級（準2、3級）/1,980円（税込）
初級（4、5級）/1,760円（税込）
※2021年版のみレベル別に発刊。

協会書籍対応　音声ペン

対応書籍にタッチするだけでネイティブの発音が聞ける。
合格トウミ、読む書く「ハン検」、ペウギ各級に対応。
8,600円（税込）

好評発売中！ **2020年版**
ハン検 過去問題集（ＣＤ付）

◆2019年第52回、53回分の試験問題と正答を収録、学習に役立つワンポイント
アドバイス付！

1級、2級	各2,200円（税込）
準2級、3級	各1,980円（税込）
4級、5級	各1,760円（税込）

購入方法

①全国主要書店でお求めください。（すべての書店でお取り寄せできます）
②当協会へ在庫を確認し、下記いずれかの方法でお申し込みください。
【方法１：郵便振替】
振替用紙の通信欄に書籍名と冊数を記入し代金と送料をお支払いください。お
急ぎの方は振込受領書をコピーし、書籍名と冊数、送付先と氏名をメモ書きに
してFAXでお送りください。

　　　　　◆口座番号：00160－5－610883
　　　　　◆加入者名：ハングル能力検定協会

（送料1冊350円、2冊目から1冊増すごとに100円増、10冊以上は無料）
【方法２：代金引換え】
書籍代金（税込）以外に別途、送料と代引き手数料がかかります。詳しくは協会
へお問い合わせください。
③協会ホームページの「書籍販売」ページからインターネット注文ができます。
　（https://www.hangul.or.jp）

※音声ペンのみのご注文：送料500円/1本です。2本目以降は1本ごとに100円増となります。
　書籍と音声ペンを併せてご購入頂く場合：送料は書籍冊数×100円＋音声ペン送料500
　円です。ご不明点は協会までお電話ください。
※音声ペンは「ハン検オンラインショップ」からも注文ができます。

2021年版「ハングル」能力検定試験

ハン検 過去問題集〈4級・5級〉

2021年3月1日発行

編　　著	特定非営利活動法人 ハングル能力検定協会
発　　行	特定非営利活動法人 ハングル能力検定協会 〒101-0051 東京都千代田区神田神保町2-22-5 F TEL 03-5858-9101　FAX 03-5858-9103 https://www.hangul.or.jp
製　　作	現代綜合出版印刷株式会社

定価　1,760円（税込）
HANGUL NOURYOKU KENTEIKYOUKAI
ISBN 978-4-910225-06-7　C0087　¥1600E